ありふれた言葉が
武器になる

伝え方の法則

本橋亜土

かんき出版

はじめに

明日締め切りの資料について、心配性の上司からチャットが届きました。

「あの資料、どうなってる?」

在宅勤務中のあなたは、こう返信しました。

「進めています。ご安心ください」

しばらくすると上司から「本当に大丈夫?」という確認の電話が……。忙しい中、あなたは15分も時間を取られてしまいました。

あなたにも、こんな経験ありませんか?

さて、ここで問題です。

問題

「進めています。ご安心ください」

という返信に一文字足すだけで、

上司から確認の電話がくる確率を

グッと下げることができます。

その一文字とはなんでしょうか？

答え

今

次の2つを見比べてみてください。

進めています。ご安心ください。

今、進めています。ご安心ください。

「今」という一文字を入れるだけで、格段に臨場感が出ますよね。
上司に、「ちゃんとやってくれているな」という安心感を与えられるうえ、「邪魔しちゃいけないな」という心理も生まれます。
結果、確認の電話がかかってくる確率がグッと下がるわけです。

このように、物事の結果はちょっとした伝え方の工夫で劇的に変わります。

本書では、

どうしても話が長くなってしまう。

よく、「結局、何が言いたいの」と言われる。

話していると、相手がいつもつまらなそう。

毎日投稿しているのに、フォロワーがまったく増えない。

交渉や営業が全然成功しない。


こんな悩みやコンプレックスを解決するための「伝え方」を紹介します。

勘違いしている人が多いので最初にお伝えしておきます。

話がうまい人、説得力のある説明ができる人は、素晴らしい才能やセンスを備えているのではありません。


その差は、「伝え方の勝ちパターン」を知っているか、

知らないかの違いなのです。

本書では、

決められた位置に「あるひと言」を入れるだけで、言葉が格段に強まり、注目を集めることができる！

ある言葉をつけるだけで、相手の頭の中が一気にクリアになり、「記憶に残る」「心に刻まれる」ようになる！

言葉の組み立てを変えるだけで、交渉の成功率が格段に上がる！

など、誰でも簡単に、そして今日から使えるテクニックを紹介していきます。

その元となるのが、テレビ番組制作のノウハウです。

実は先ほどの「今」を加える手法も、テレビの情報番組などで、臨場感を演出する際に使われているものです。ナレーションやテロップに注目しながら番組を観ると案外多く使われていることに気がつくはずです。

私たちが普段何げなく観ているテレビ番組を構成する1つひとつのカットには、全て狙いがあります。そして、その効果を最大化するために確立されたパターンが存在します。

テレビ番組はそれらを駆使して緻密に構成、編集されているのです。

「5分だけ観よう」と思っていたのに、結局最後まで観てしまったという経験がある人も多いでしょう。こういった行動の裏には、視聴者にチャンネルを替えさせず、伝えたい情報を自然に視聴者の頭に入れるためのさまざまな仕掛けがあります。

自分で番組を選んで観ているようで、実際は「観せられている」ということも

多々あるのです。しかも、「そう思わせることなく」です。

このようにテレビ業界には、確立された「伝え方の勝ちパターン」が存在します。作り手であるディレクターたちは、それに従って「強く伝わる」番組を作り続けているわけです。

そのノウハウがいかに優れているか、それは番組放送後、紹介されたお店に行列ができたり、商品が品切れになったりすることからもわかると思います。

何かを伝えるときも同じです。

本書で紹介する「勝ちパターン」に従って戦略的に仕掛けをちりばめ、会話やプレゼンを進めることで「相手に気づかれることなく」相手の頭の中に伝えたいことを確実に刻み込んでいくことができるようになるのです。

この後の話を進めるうえで、私の正体を明かす必要がありますので、簡単に自己紹介させてください。

私は大学卒業後、番組制作会社に就職し、テレビ業界に入りました。

フジテレビのバラエティー番組のＡＤ（アシスタント・ディレクター）からスタートし、ディレクターやプロデューサーとして、ドキュメンタリー番組、情報番組、バラエティー番組など、さまざまな番組の制作に携わってきました。

放送中、もしくは最近まで放送していた番組をいくつか挙げると、『王様のブランチ』（ＴＢＳ）、『行列のできる法律相談所』『嵐にしやがれ』『しゃべくり007』『人生が変わる1分間の深イイ話』（全て日本テレビ）、『課外授業ようこそ先輩』（ＮＨＫ）など。ご覧になったことがある番組もあるかもしれません。

その後、38歳のときに独立。現在は、テレビ番組および、その制作ノウハウを生かした企業のＰＲ動画を制作する「株式会社スピンホイスト」を経営しています。

かれこれ、20年以上テレビ番組を作り続けているわけです。

若手ディレクターだったころ、私はＶＴＲをうまく作ることができませんでした。

「このままではクビになる（後述しますが、まともにＶＴＲを作れないディレクターはすぐ交代させられてしまうんです……）」と焦った私は、片っ端からゴールデン帯の番組を録画、その構成を徹底的に分析してノートに書き出しました。

すると、テレビ番組は実はいくつかのパターンを組み合わせてできていることに気づきました。

そのパターンは、長いテレビの歴史の中、シビアな視聴率競争によって磨かれ続けてきたものです。そしてそれらは「口伝」、つまり口頭で伝えられてきたので、マニュアルは一切存在しません。

本書は、各テレビ局の制作現場に伝わる門外不出の勝ちパターンを「伝え方の法則」と名づけ体系化、言語化したものです。

業界に飛び込んだ当初、私の主な寝床はフジテレビ13階の床、敷き布団はロケで使い終わったフリップでした。キツい生活に嫌気が差して現場を去っていった人もたくさんいました。

言ってみれば、キツいＡＤ生活に耐えて、新人ディレクター時代のプレッシャーを乗り切れた人間だけが手に入れられる「禁断の勝ちパターン」を、本書を読むだけで身につけられるというわけです。

本書で紹介する「伝え方の法則」を使えば、

説明やプレゼン、交渉がうまくなる。
大人数が参加するＺｏｏｍ会議で「シーン」となるのを防げる。
ちょっとした雑談の場でも相手の記憶に残る話ができる。
面接で採用担当者に良い印象を残し、内定をゲットできる。
ＳＮＳのフォロワーが増える。
はたまた、メルカリでより早く、より高く商品を売れるようになる。

など、日々のさまざまなシーンで結果を出せるようになります。

若手ディレクターたちは皆、さまざまな番組の構成や編集のノウハウを盗みながら力をつけていきます。

あなたもぜひ、本書のノウハウを盗み（響きが悪ければ、「成功事例を頂戴する」と言い換えてください）、日々の生活にお役立ていただければと思います。

盗んだものも、自分の中で馴染めば「オリジナル」になりますので！

それでは、スタートしましょう！

２０２１年３月

本橋　亜土

ありふれた言葉が武器になる　伝え方の法則

CONTENTS

第2章
「つかみ」を制する者が伝え方を制する

第3章

相手の脳をハッキング！言いたいことを記憶に残す方法

第4章

ピンチをチャンスに変える「言い換え」と「ギャップ」の魔術

第5章 嘘をつかずに魅力を2割増しする！ 秘伝の「ちょい足し」テク

装幀　岩永香穂（MOAI）
本文デザイン　喜來詩織（エントツ）
イラスト　加納徳博
DTP　野中賢（株式会社システムタンク）

第 0 章

「テレビの伝え方」こそ最強の伝達スキルである

問題

友人が今度オープンするカフェを
ブログで紹介してほしいと頼まれました。
訪れてみると、内装はいたって普通。
出されたコーヒーとケーキも普通。
安い物件を借りたため、
場所もわかりづらく客は自分だけ。
店内はシーンとしています……。
このお店を魅力的に紹介する
「ひと言」を考えてください。

いかがでしょうか？　実はこのシチュエーション、半分実話です。

テレビでは、よく新しいお店や話題のお店を紹介しますが、必ずしも全てが名店であるわけではありません。実際に訪れてみると、「超普通……」という言葉が頭に浮かぶケースも多々あります。

思い返してみると、むしろ「この店、どうしよう」「どうやってＶＴＲを作れば成立するんだろう」と頭を悩ませるものがかなりの割合を占めていた気がします。しかし、そこで正直に「ここはたいした店じゃありません」というＶＴＲにしてしまったら、何が起こると思いますか？

ディレクターがクビになります。

「おまえは、なんていうＶＴＲを作ってるんだ！」と怒られ、所属制作会社のプロデューサーが呼ばれて告げられるのは、「代わりのディレクターを用意してほしい……」。つまり、戦力外通告です。

こうしたことは、業界内では「局からNGが出る」と言われますが、テレビの世界ではしばしばこういった事態が起こります。

実力勝負というか、**仮に実力はなくても「伝え方の勝ちパターン」を身につけていて、それを使ってVTRを作れる人だけが生き残っていく厳しい世界なのです。**

そこで外されたディレクターはというと……、失業です。

つまり、局からNGが出るということは、生活の危機に直結するわけです。そのためディレクターは、自分の生活・家族の生活を守るため、言わば命をかけて、その店を「最高の店」としてオンエアしているのです。

でも! 今の時代、嘘は絶対にダメです。

VTRに嘘があると、番組自体が世間から大バッシングを受けることになり、ディレクターの交代どころの騒ぎではなくなってしまいます。

では、どうするか……。ここで、先ほどの問題の答えを明かしましょう。

答え

隠れ家的な店

「伝え方の勝ちパターン」が誰にでも簡単に使える理由

「隠れ家的○○」、テレビの情報番組でよく聞く言葉ですよね。

コーヒーやケーキの味、内装などで勝負できないのであれば、視点をずらして「場所がわかりづらく、客がいない」という短所を長所に言い換える。

詳しくは第4章でお伝えしますが、このように演出することで、嘘をつくことなく普通のお店を魅力的に描き出すことができます。

テレビのディレクターたちは、このようなテクニックを使って嘘をつくことなく自分が意図するように情報を伝えているのです。

「オールドメディア」と呼ばれて久しいテレビですが、逆手に取れば長い歴史があるとも言えます。

具体的には70年の歴史があるわけですが、それは激しい視聴率争いの歴史でもあります。各番組の作り手たちは、1人でも多くの人に視聴してもらえるよう、チャンネルを替えられないよう、しのぎを削ってきました。

そして、その戦いはいかに「伝え方の勝ちパターン」を見つけるかの競い合いだったのです。本書では、その「伝え方の勝ちパターン」を日常生活で使えるようアレンジして紹介します。それを実践していただくことで、

・伝えたいことが端的に伝わった！

・営業で商品がバンバン売れるようになった！

・面接で想いを強く伝えられて、見事採用された！

など、さまざまなシーンで思い通りの結果を出すことができます。

しかも、本書のノウハウは誰でも簡単に身につけることができます。

なぜなら、本書で紹介するのは、

あなたが毎日テレビで観ている、お馴染みの構造・表現方法だから。

きっと、「ああ、テレビでよく観るアレか！」「あの場面でよく使われているアレね！」などと、実際のシーンを思い浮かべていただけると思います。

もしかすると、「こんなこと知っているよ」と思う方もいるかもしれません。

しかし、知っていると使っているは別。しかも、すでに知っている知識を身につけることは、初めて触れる知識を習得するよりも格段にラクで、すぐ再現することができます。

ゆえに、「今日の会議ですぐ使える！」「明日学校で試してみよう」「普段の営業トークのココを変えればいいのか！」など、自分事としてすぐに実践していただけるものになっています。

さらに今、テレビの伝え方が生かされる世の中に！

本書の執筆中、あることが起こりました。

そう新型コロナウイルスの感染拡大です。リモートワークや外出自粛によってコミュニケーションの場がリアルからウェブ上へと移り、会議や打ち合わせ、プレゼン、接客、採用面接、飲み会までオンラインで行われるようになりました。

リアルでの対面からオンラインでの対面へ……。変わったのは、

画面が１つ介在するようになった

ことくらいです。

でも、世の中は「物事が伝わりづらくなった」と大パニックに。いたるところからこんな悩みを耳にするようになりました。


特に参加者が多い会議では、相手がちゃんと話を聞いているかわからない。

どうやって注目を集めればいいかわからない。

話にメリハリをつけづらい。


実は、こんな悩みをはるか昔に克服した世界があります。

そう、テレビ業界です。

テレビの世界では、毎日のように見せ方がアップデートされています。私たちが20年前の映像を観ると、「なんか古いなあ」と感じるのは構成や演出がアップデートされ続けている証拠です。

しかしその中で、１つだけ変わっていないことがあります。

それは……、

テレビ番組は、ずっと画面越しに情報を伝え続けてきた

ということ。

テレビ番組は、これまで膨大な量の情報を画面を介して視聴者に伝達し、感情を動かし、消費を促してきました。

テレビで新商品や食べ物を紹介すると、その魅力が観ている人に伝わり、莫大な消費を生み出します。通販番組にいたっては、商品を売ることを目的に構成して伝えますから、もちろん商品はバカ売れします。

それは70年間ブラッシュアップされ続けた「オンラインで伝えるノウハウ」が詰まっているから成せる業。

それゆえ、番組を作るディレクターは、

オンラインで情報を伝えるスペシャリストだと言えます。

残念ながら現在は、「テレビの影響力が低下している」と叫ばれる世の中です。しかし、そこで使われているノウハウは、今最も世の中から必要とされているといっても過言ではないのです。

もちろん、本書で紹介するノウハウは、リアルの場でも大活躍します。オンラインでも力を発揮するのですから、リアルの場ではさらに強大な力を発揮するのです。

テレビ業界だけで使われてきた「伝え方の勝ちパターン」を使って、まわりの人よりも「ちょっと有利な人生」を送ってみませんか？

さて、前置きはここまでにして、さっそく話を前に進めていきましょう。

第1章

話がうまい人は
相手に
頭を使わせない

「なぜ、ユーチューブの動画は短いのか？」

ユーチューブ、好きですか？

多くの人が「ＹＥＳ」と答えますよね。

最近は、「これからはユーチューブの時代で、テレビはオワコン」なんて言われたりするわけで、テレビ業界関係者の1人として、複雑な気持ちもあります。

と言いつつ、私自身、ユーチューブがけっこう好きです。次から次へとおすすめ動画が上がってくるので、つい時間を忘れてスマホを見てしまいます。

では、もう1つ質問します。

ユーチューブ動画とテレビ番組、尺が長いのはどっち？

ユーチューブの動画って、比較的短いものが多いですよね。短いもので数十秒、長いものでも30分くらいといったところです。

それに比べて、テレビ番組は30分、1時間、2時間と圧倒的に長尺です。

この違いはどこからくるのでしょうか？

個人が限られた時間で編集をしているから、そもそも長い動画を作れないという事情もあると思いますが、それ以外にもう1つ圧倒的な違いがあります。

それは、

「構成」と「演出」があるか否か

です。

ここで言う「構成」とは、物事を伝えるための構造のこと。そして「演出」とは、物事をより魅力的に見せるためのテクニックです。

この2つの有無、もしくはスキルの違いが、両者の尺の違いに直結しているのです。

そして、その違いを理解することが、本書で紹介する「伝え方の法則」の意味や効果を理解するのに役立ちます。

一体どういうことなのか？

ここからは、番組の制作現場で実際に使われている「構成」と「演出」のテクニックを例に挙げながら、その秘密を解説していきましょう。

「「伝わりやすさ」のキモ！禁断の「設計図」を明かす」

これからお伝えするのは、番組を作るうえで最も重要かつ多用されているテクニックです。

まずは、次の2つの文章を見てください。

まったく同じことを言っている、使っている単語もほぼ同じAとB。

しかし、ある要素を入れることで、Bのほうがより強く印象に残る文章になります。

A　社長は、「社員全員の給料を10％アップ」させる決断をしたため、会社が大きな成長を遂げた！

B　会社が大きな成長を遂げるきっかけとなった、社長の決断。それは！

「社員全員の給料10％アップ」

Bは、Aの文章に、テレビ番組でよく使われている、**「振り」と「受け」**という基本構造を入れたものです。Aに比べて、Bのほうがイキイキとした印象が生まれ、「給料10％アップ」がより強調されていますよね。

この「振り」と「受け」は、番組を構成するうえでとても大事な要素です。これがあるために、「チャンネルを替えられない」「次が気になる！」というテレビ特有の構成を組み立てることができるといっても過言ではありません。

法則1 「振り」と「受け」で印象を強める

「振り」と「受け」とは、具体的にどのようなものなのでしょうか？
先ほどの例文を「振り」と「受け」に分割すると、次のようになります。

【振り】
会社が大きな成長を遂げるきっかけとなった、社長の決断。
それは！

【受け】
「社員全員の給料10％アップ」

この文章で強調したいのは、「社員全員の給料10％アップ」という部分です。

「受け」の部分には文章の中で最も強調したい言葉を配置します。

その前の「振り」とは、「受け」を説明する言葉と、「振りワード（例文では、それは！）」をセットにした部分のことを言います。

強調したい言葉の直前に、説明と「それは！」や「そこで！」の振りワードを配置する。これが、「振り」と「受け」の構造です。

ちなみに、代表的な振りワードには、**「それが！」「それは！」「そこで！」「そして！」「さらに！」**などがあります。

この「振りワード」、全て馴染みのある、ありふれた言葉ですよね？

実は、そこがポイントなんです。多くの人は、自然にテレビ番組の〝見方〟を習得していますから、「それが！」「それは！」などの振りワードがくると、

あ、この直後に大切なポイントがくるんだ！

● 視聴者を疲れさせないテレビ番組の構造

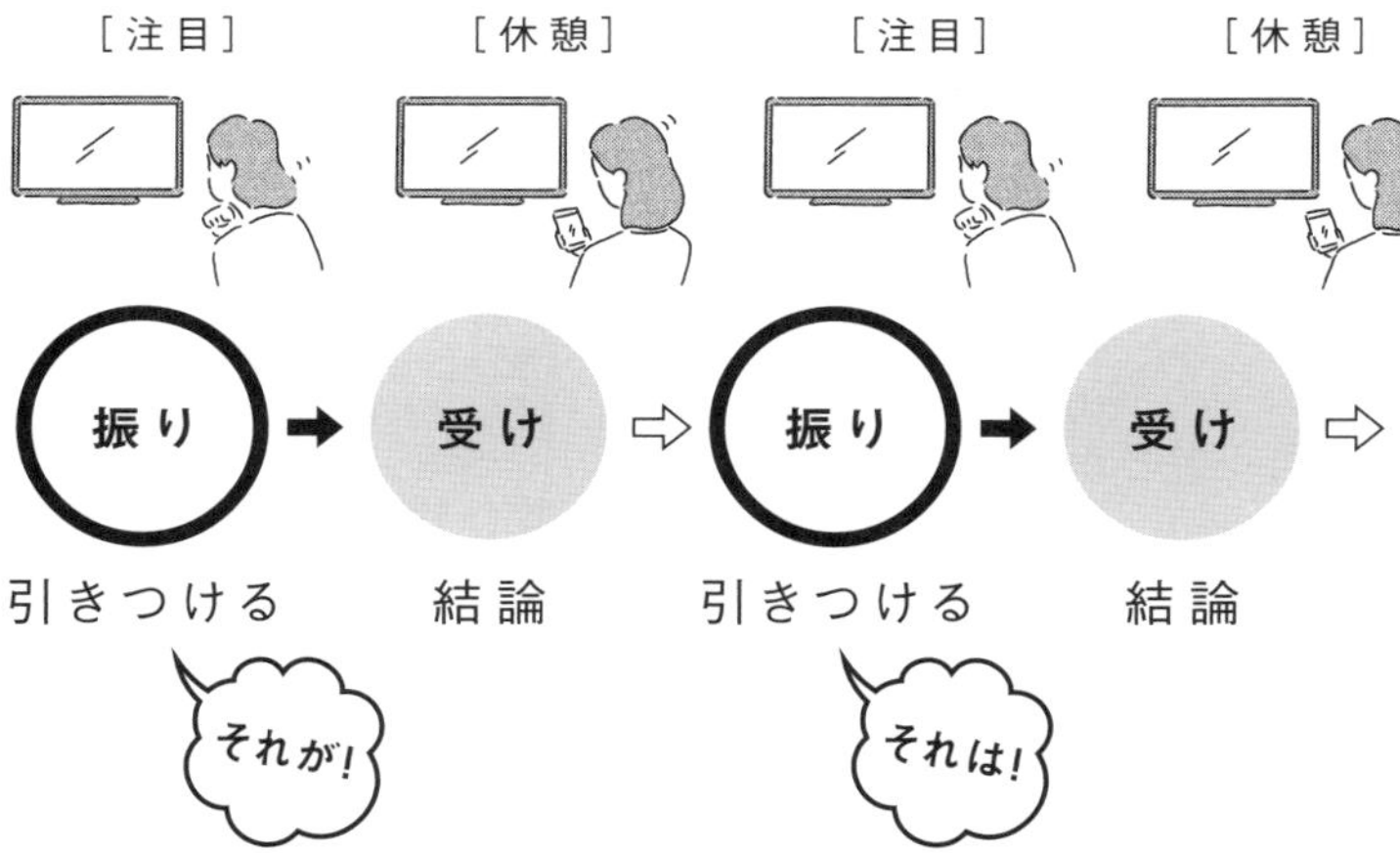

と無意識に認識し、意識をテレビに集中させます。

たとえば、皿洗いをしながらテレビを観ていたとしても、画面から「それは！」という振りワードが流れてきた瞬間に、手を止めてテレビに注目します。

スマホをいじっていても、「それが！」というナレーションが流れてくると、手を止めてテレビ画面を観ます。

そしてテレビから、ディレクターが最も伝えたい重要な「受け」のコメントが流れてくると、「なるほどね」と納得し、また皿洗いやスマホに戻るわけです。

実は、テレビ番組は、

「振り」を使って「ここ大事だよ！」とサインを出して画面に惹きつけ、「受け」た後で休憩させ、また「振り」で惹きつける……。

このパターンを繰り返しているのです。

適度に休憩させながら、大事なところはしっかり惹きつける。これによって視聴者は自分の頭を使わなくても番組の内容を把握することができます。

ここで、先ほど述べた、ユーチューブ動画の尺が短い理由を説明しましょう。

ユーチューブ動画は、長く観続けることが苦痛だからです。

ユーチューブの動画は、長く観ていると疲れますよね。それに比べて、テレビ番組は疲れずにずっと観られる感じがしませんか？

その大きな理由の1つに、「振り」と「受け」の有無の違いがあるのです。

●「振り」と「受け」の作り方

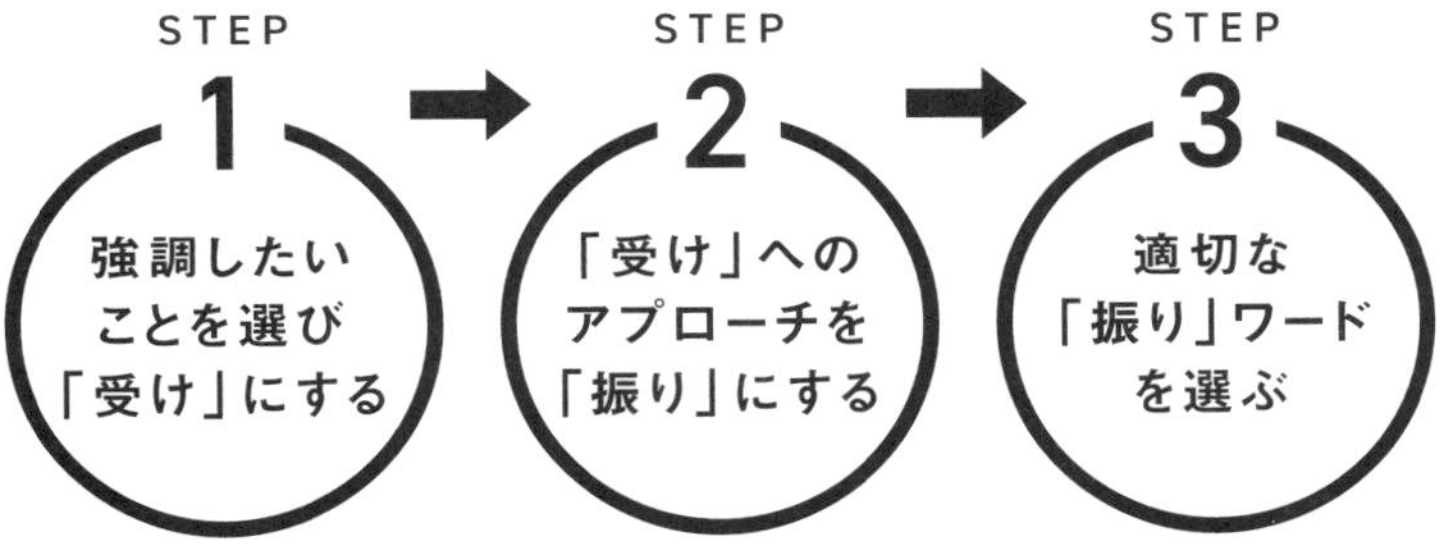
STEP 1
強調したいことを選び「受け」にする
STEP 2
「受け」へのアプローチを「振り」にする
STEP 3
適切な「振り」ワードを選ぶ

この3ステップでメリハリのついた強調文に!

ユーチューブにアップされた動画の多くは、この構造がないため、メリハリがありません。そのため、ずっと注視していなければ、話の流れをつかめないうえ、大切な部分を見逃してしまいます。

大事なポイントを視聴者自身が考えながら見つけなければいけない（=気が抜けない）。だから、長時間観ていると疲れてしまうのです。

このような経験から、無意識のうちに短めの動画が選ばれるようになり、結果的に動画の尺が短くなったと考えられるわけです。

「コミュニケーションは相手を疲れさせたら負け」

相手に情報をしっかりと伝え、さらにしっかりと心に残すためには、「鉄則」があります。それは、

相手を疲れさせないこと。
相手に頭を使わせないこと。

たとえば、営業先のお客様や就活の面接官、また、夫や妻にいろいろな話・交渉ごとをする場面でも、**「話を聞く側」というのは、私たち（話す側）が思っているほど熱量が高くありません。**残念ながら、

相手は、あなたが思っている以上にあなたの話を聞きたいと思っていない。

これが現実です。

逆に考えれば、「聞く気のない相手を聞く気にさせる」ことこそが、伝え方の真髄であると言えます。

当たり前ですが、相手なしにコミュニケーションは成立しません。

同じ話でも、相手の機嫌や体調、そのときの忙しさなど、コンディションの良し悪しで受ける印象が大きく変わってきます。

つまり、情報の伝わり方は相手のコンディションに左右されるということです。

もちろん、相手のコンディションの良いタイミングを見計らってプレゼンに行くなど不可能。

であれば、「こちらから良いコンディションにさせてあげる」ことが最良の道ということになります。

その際、けっして相手に感じさせてはいけないのが、「要するに何が言いたい

の?」という疑問感情です。

疑問に思う、つまり「考える行為」は非常に労力を使います。そこに労力を使わせてしまった時点でこちらの負け。そもそも聞きたいと思っていないわけですから、そこに余計な労力をかけてくれる人なんていません。余計なことを考えさせることで集中力が途切れ、さらに話を聞く気がなくなってしまうのです。

これは非常にもったいない。どうせなら、相手を「前のめり」にさせた後、こちらの話の核心に迫る「ここぞ!」というところで労力を使わせたいものです。

だからこそ、

相手を疲れさせないこと。
相手に頭を使わせないこと。

が必要になってくるのです。

「ありふれた言葉、ありふれた表現こそ最強の武器になる」

「伝わりやすい構成・演出」とは、その構造が相手にとって、無理なく受け入れられる組み立てになっているということです。

事実、伝わりやすいよう構成されたテレビ番組は、ストレスなく、誰でも簡単に内容を理解することができます。そして、「面白くてあっという間に終わってしまった」「来週もまた見たいな」という印象を視聴者に与え、人気番組としての地位を確立するわけです。

逆に、視聴者を疲れさせてしまったり、内容がわかりにくかったりするとすぐにチャンネルを替えられてしまいます。

そしてそれは、「視聴率の低下→番組終了→ディレクターの収入激減」という最悪の結果を招きます。そのため、各番組のディレクターたちは、生活をかけて、チャンネルをステイさせる努力をしています。その真髄こそ、

視聴者を疲れさせずに情報を伝える

ことなのです。これについては、ここまで繰り返し述べてきたので、ご理解いただけたと思います。実は、相手を疲れさせずに情報を伝えるために、とても大切なことがあります。それは、

ありふれた言葉・表現を使う。

たとえば、あなたのまわりにこんなことを言う人はいませんか？

①プライオリティをつけてから、ディスカッションしたほうがいいよね!
②ナレッジの共有がベストプラクティスにつながります。

こんなカタカナ語を多用する人、最近増えていますよね。

デキる自分を演出したいのかもしれませんが、「いかにうまく伝えるか」という視点で見ると0点であると言わざるを得ません。

先ほど、「それは!」「そして!」などの振りワードは、聞き慣れた言葉だから効果があるとお伝えしました。

振りワードに限らず、聞き慣れない言葉が出てくると、頭の中に「?」が浮かびます。こうなってしまった瞬間、相手の話を聞こうとする気持ちは萎えてしまうのです。

自分の意見を本当に聞いてほしいなら、こう表現すべきです。

①優先順位をつけてから、話し合ったほうがいいよね！
②知識の共有が最も効率のいい方法です。

これならよくわかりますよね。

このように、普段の会話で使う言葉や表現は、誰もが理解できる「ありふれたもの」を使うことも、物事を伝えるうえでは非常に大事なのです。

逆に言えば、語彙力《ごいりょく》を高めるために勉強したり、言葉のセンスを磨いたりしなくても、「型」さえ覚えてしまえば誰もが活用できるということです。

ここまで、本書のノウハウの核となる理論を説明してきました。

ディレクターには生活がかかっていますから、必死にこのようなテクニックを磨き続けています。これこそが、テレビ番組制作のノウハウには「伝え方の真髄」が詰まっていると私が主張する理由です。

もちろん、テレビの世界で使われている伝える技術は、先ほど紹介した「振り」「受け」だけではありません。

そして、それらは、番組制作だけでなく、日常会話や、商談、説明、プレゼン、オンライン会議など対面でのシチュエーションはもちろん、SNSやブログ、ネットショップの商品説明など文章で伝える際にも活用することができます。

ぜひ、これから紹介する「伝え方の法則」を活用して、言いたいことを相手の心に強く刻み込む、強い言葉を作れるようになってください。

第 2 章

「つかみ」を制する者が伝え方を制する

「勝負は最初の1分で決まる！」

何事も最初が肝心と言いますが、日々のコミュニケーションでも同じことが言えます。

相手があなたの話をちゃんと聞くかどうか。もしくは、あなたの書いた文章を最後まで読むかどうか。

それを判断するのは最初の1分です。

「この話、面白そうだな」「役に立ちそうだな」と思ってもらえるかどうかは、最初の「つかみ」がうまくいくかどうかで決まるのです。

これは、テレビ番組も同じ。あなたにも、19時、21時など、多くの番組がはじまる時間帯にリモコンの上下ボタンを連打して、ザッピングしながら観る番組を探した経験があると思います。

冒頭で視聴者の心をつかまなければ、たちどころにチャンネルを替えられてしまいます。もちろん、多くの人が同じ行動をしているわけですから、視聴率にも影響が出ます。

テレビのディレクターはこの恐ろしさをよく理解しています。そのため、番組制作の現場には、一瞬で視聴者の心をつかむためのさまざまなテクニックがあります。

この第2章では、それらの中から、私たちの日常生活に応用できる便利な技を3つ紹介しましょう。

「「オープニングアヴァン」ってなんだ!?」

「ちゃんと話を聞いてほしい！」

上司に新企画を提案するとき、クライアントに新商品を仕入れてほしいとき、はたまた、奥さんに新車を買うことを許してほしいとき……、私たちの日常には、「相手を自分の話に引き込みたい」シーンがたびたび登場します。

とはいえ、今の世の中時間を持て余している人はいないわけで、こちらの話をちゃんと聞いてもらえないことも多いわけです。何も工夫せず、タラタラ話しはじめても誰も聞く耳を持ってくれません。

よく、コミュニケーションの本には「結論から話せ」と書いてあるのはこのせいなのですが、たとえ、結論から話しても「ふーん……」というリアクションしか返ってこず、そこで話が終わってしまうことも多々あります。特に、Ｚｏｏｍでの会議や打ち合わせなど、非対面で複数人が参加する際には注意が必要です。

実は、テレビ番組制作の現場には、そうならないためのテクニックがあります。テレビ業界に置き換えると、「話を聞いてもらえない」というのは「チャンネルを替えられてしまう」ことです。ここでは、それを防ぐために行っている工夫を紹介しましょう。

法則2 「アヴァン」を配置する

「アヴァン」。変な言葉ですよね。なんだと思いますか？

実はこの言葉、番組制作の現場では頻繁に使われています。業界に入りたてのころ、「変な名前だなぁ」とよく思ったものです。

本書の執筆にあたり、初めて語源を調べてみました。すると、フランス語で

「～の前に」という意味。なぜ、フランス語が登場するのかは謎ですが、きっと誰かが格好つけて言い出したのでしょう。

一体なんなのかというと、番組冒頭に配置されているダイジェスト映像のことです。情報番組でこんなシーンをご覧になったことがあると思います。勢いのあるＢＧＭとナレーションで……、

今週の「〇〇（番組名）」は、自由が丘最新スイーツ＆ゼッタイ目を惹く、超インスタ映えスポットを一挙ご紹介！

そこで目にしたものは！

「スゴーい！」（出演者リアクション）

テーブルの上のスイーツに「絶品スイーツ」と書かれた隠し

自由が丘最新スイーツ＆
超インスタ映えスポット
皆様のブランチ
スゴーい！

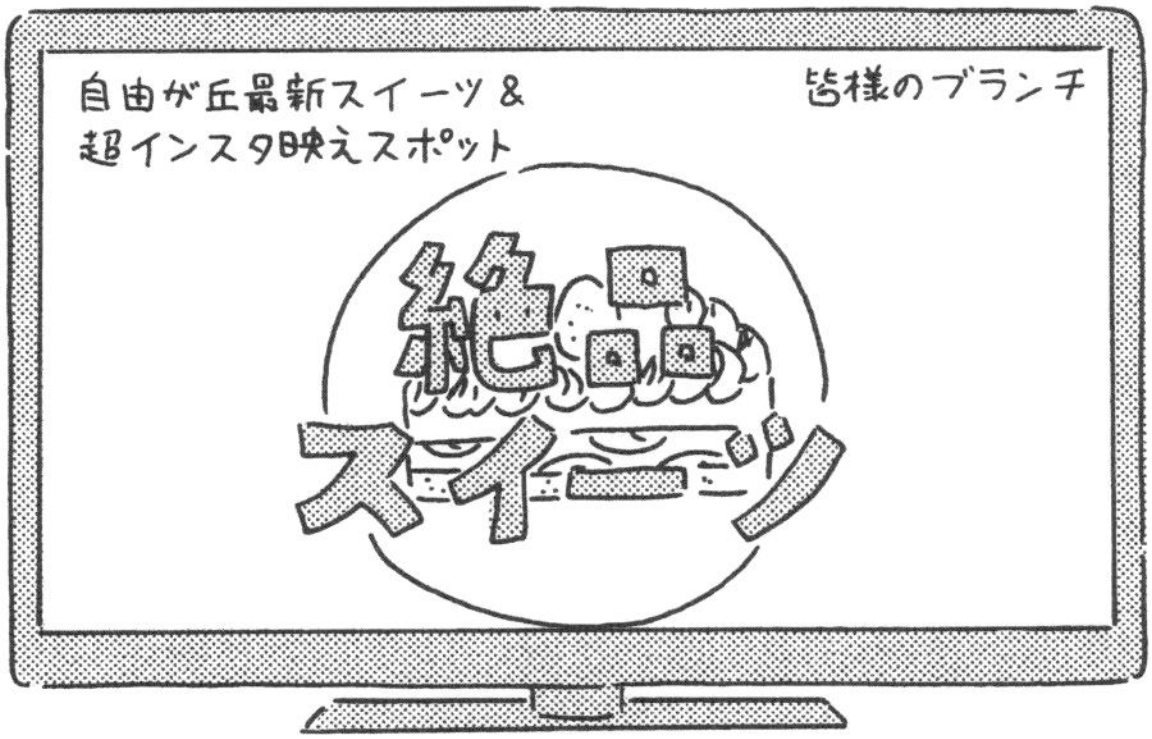
自由が丘最新スイーツ＆
超インスタ映えスポット
皆様のブランチ
絶品
スイーツ

要するに、「見どころはココだよ！」「チャンネルをステイする価値があるよ！」という「番組の魅力」を冒頭で伝えているわけです。

どんなに面白い人気番組でも、全てが見どころで構成されているわけではありません。中には、見どころへ持っていくための「ブリッジ」、前置きの「説明ブロック」など、視聴者にチャンネルを替えられてしまいやすい「ザッピングポイント」も存在します。

冒頭の「オープニングアヴァン」で、番組が盛り上がっているシーンをあらかじめ出しておくことで、**「このまま観ていれば、あのお得情報や芸人が驚く面白いシーンがある」**と、視聴者に意識させ、ザッピングを回避することができるのです。とはいえ、単に番組のダイジェスト映像を流せばいいというわけではありません。

これからはじまる話には、こんな面白い「有益な情報」があるんですよ！

ということをしっかりと示す必要があります。

つまり、視聴者（話を聞く人）のメリットをしっかり示してあげるということです。

そこまでして初めて、相手の話を聞くコンディションが整います。そこから本題に入れば、相手の集中力も続き、伝わり方が格段に向上するのです。

たとえば、学校や職場で気になる人をランチに誘いたいなら、「今日、一緒にランチ行かない？」と言うのではなく、

今日のランチ、この前テレビで紹介されてた、あそこの中華に行ってみない？

と誘ってみる。

前者の誘い方だと、相手は「この人とランチに行くか？　行かないか？」とい

う迷いが生じます。つまり、「この提案のどこにメリットがあるのか?」と考えはじめてしまうのです。

でも、後者のような誘い方をすれば、得られるメリット(美味しい中華が食べられる)が明確ですから、一緒にきてくれる可能性が高まります。

仕事で企画を提案するときも同じです。

「今日ご提案する企画は、30代女性をターゲットにしたもので……」などと、周辺情報から説明すると、聞き手の頭の中には「?」が浮かびます。

また、「聞く価値」のある情報なのかがわからず、それを判断することに頭を使いはじめます。ですから、

今回のプロジェクトは、「顧客が1円の出費もせずに、5000円の得ができる企画」です!

などと、相手のメリットを示し興味を惹きつけ、「なになに？」と聞くモードに変えてから、細かい説明に入っていきます。そうすることで、細かな周辺情報にも耳を傾けてもらえるわけです。

人は、自分にメリットがあって初めて動きます。これからどんな話をするつもりなのか、その話を聞くとどんなメリットがあるのか……。話の全貌を明かして期待感を高めたうえで話をはじめる。

このテクニックは、ビジネス、プライベートにかかわらず、交渉や提案、説明などのシーンで活躍しますので、ぜひ覚えておいてください。

「テレビが街頭インタビューを流す理由、わかりますか？」

番組中、特にＶＴＲの冒頭によく出てくる、街頭インタビュー。

街中や、地元商店街を歩く「ごく普通」のおじさん、おばさんに声をかけ、思っていることを話してもらうアレです。

価値ある「精査された情報」を発信すべきテレビ番組が、なぜ専門家でもない凡人のコメントを流すのか。

実は、これにはきちんとした理由があります。

それは……、

番組を観ている人の「共感」を得るため。

「夫の嫌なところ」「政治について最近自分が感じていること」など、たとえ情報性がなくつまらないコメントだったとしても、それが視聴者と同じ意見であれば、「そうなのよ、よくぞ言ってくれたわ！」と感情が動きます。その結果、瞬時に相手を話に引き込むことができるのです。

法則3 質問をプラスして「共感を獲得」する

共感を得ることこそが、伝え方の鉄則。これがあるのとないのとでは、相手の話を聞く姿勢が大きく変わってきます。

相手の感情が動けば、こちらの話を聞く態勢ができ上がるので、感情を動かす手っ取り早い仕掛けとして、冒頭部分に「共感を得る」ための構造を置きます。

効果的な使い方としては、プレゼンや交渉の話しはじめや、文章の冒頭に、これから話す話題に関連するありきたりな質問を投げかけることです。

ポイントは「ありきたり」であること。この質問は相手の共感を得るためのものなので、逆算して相手の答えが「そうですね」「そうなんですよ」となるように問いかけていきます。

冒頭部分で2〜3回共感が得られたら、本題へと進んでいきます。

相手にとっては何げないやりとりですが、

「伝える側」「伝えられる側」が共通の話題で同じ意見を持つ

ことになるので、「こちらの意見を好んで聞き入れる態勢」ができ上がります。

たとえば、オフィスの複合機を新しいものに入れ替えてもらう交渉をする場合、

「最近、紙詰まりが多くありませんか？」

「それって急いでいるときに限って起こりますよね？」

「会議に間に合わず怒られたことありますよね？」

などと、よくある光景を質問してから交渉に入れば、提案を採用してもらえる可能性が高まります。相手も同じような経験があるはずだからです。

また、グルメブログでお店選びの失敗談を書きたいとき、普通に書いてしまうと、「ただ自分の確認ミスじゃん」という印象を与えてしまい、最後まで読んでもらえません。しかし記事の冒頭に、

「食べログの評価が3・5以上なのに、普通の店だった経験、ありませんか？」

「写真ではフワフワの食パンだったのに、食べてみたら普通だったこと、ありませんか？」

こう書くことで、あなたの失敗談が、共感によって読者の中で自分事化され、記事を最後まで読んでみたくなります。

通販番組でお馴染みの構造も、この法則に則って作られています。

① 街頭インタビューで問題点を明確化

② 視聴者がコメントに共感

③ 共感を得たら本題に切り込む

あなたも、前ページのイラストのような街頭インタビューのシーンを観たことがあるのではないでしょうか。

通販番組は、観ている人の感情を刺激して、安くはない金額を消費させるところまで持っていく強力な構造ですので、ぜひプレゼンや商談などの参考にしてみてください。

「出し惜しみ」は伝える側のエゴ！

「これはとっておきのネタだから、最後までとっておこう」

ちょっとした雑談から商談、プレゼンまで、コミュニケーションの場面で私たちはついこう考えてしまいます。

「話に〝オチ〟をつけよう」とか、「プレゼンの最後にインパクトを与えたい」といった思いがあるのでしょう。

むしろ、そうすることがコミュニケーションの鉄則であると考えているフシすらあります。

言わば、「出し惜しみ精神」からくる後出し。

映画や小説など、ラストに大どんでん返しを持ってくるストーリー展開を見慣れているからなのでしょう。しかし、映画や小説でそれが可能なのは、観客、読者の集中力を保つために緻密に計算されたストーリーや画撮り、音楽、役者の演技があるからこそ。

私たちが、話し相手の集中力を最後まで保つことは至難の業。はっきり言って無理です。

たとえば、プレゼン終盤には集中力が欠けて、意識が別のところに行ってしまう、「隠れ離脱者」がかなりの確率で発生します。

特に、自宅から参加しているZｏｏｍ会議の参加者は、途中でこっそりテレビをつけたり、スマホでネットサーフィンをはじめたり、ＬＩＮＥを送りはじめたりと、時間とともに話を聞くコンディションが悪くなってきます。

大事な情報を後出しすればするほど、インパクトが薄れてしまうのです。

では、どうすればいいのか？
答えは簡単です。

法則4 強いものから出す

とにかく、強いもの、印象深いもの、インパクトのあるものを早い段階で、先手先手で出していくのです。

テレビのレギュラー番組でも、ロケに出てみて、「撮れ高」のいい強いネタが急遽上がってきたときには、この法則に従って、仮にオンエアの予定日が1カ月後だったとしても、わざわざ放送のラインナップを変更して、できるだけ早いオンエアに入れ込みます。

もちろん、ディレクターをはじめ、現場はパニックになりますが、より面白くて有益な情報を伝えることがテレビ番組の役割ですから、これは当然のように行われていることなのです。

有益な情報、要点はいち早く知りたい！

もし、自分が「伝えられる立場」だったら、そう思いますよね？

ならば、それを叶えてあげればいいだけです。

「相手ファースト」を意識すれば話の伝わり方が格段に変わります。

第 3 章

相手の脳をハッキング！言いたいことを記憶に残す方法

「相手の頭を整理してあげる」

前述の通り、**「伝える」とは、相手の感情や理解力、体調によって精度が左右される不安定なコミュニケーションです。**

自分の話や文章が相手の心に届き、ちゃんと覚えていてくれるのか？

相手がいる以上、相手の状態や能力に依存せざるを得ないのが辛いところです。

しかし、全てを相手任せにしていては、伝わるものも伝わりませんよね。

では、相手の状態を「話を聞くコンディション」に整える方法はないのでしょうか。

テレビの世界には、その方法があります。

法則5

「扉」をつける

テレビ業界には「扉をつける」という言葉があります。簡単に言うと、

情報を「あらかじめ整理された状態」で、相手の頭に入れる

ことです。

たとえば、昼の情報番組で「美味しいゆで卵の作り方」を紹介するとします。

そんなとき、テレビではただ時系列でやり方を説明するわけではありません。

各段取りの冒頭に共通の背景画面と音楽が流れ、

美味しいゆで卵の作り方 その①【茹で時間にこだわる】

美味しいゆで卵の作り方 その②【茹でた直後の温度管理にこだわる】

といったように、それぞれのタイトルが入った「見出しカット」という映像を流してから、各工程の詳細な説明に入ります。

その後も「その3」「その4」と続き、全ての工程を整理して説明します。

これによって観ている側は、「美味しいゆで卵を作る要素は、4つあるんだ」という心構えと認識ができるので、集中力を途切れさせることなく最後まで観てくれるようになります。

ひたすら頭から段取りを並べるのではなく、

「扉」を使って、ポイントごとに区別して伝えてあげる

ことで、相手の「話を聞くコンディション」を整えることができるのです。

ここで、「扉」を使った場合と使わなかった場合の伝わり方の比較をしてみます。

あなたは、新商品のサイクロン掃除機を量販店のバイヤーに紹介する営業担当者です。

まず、「扉」をつけない平坦な説明だと……、

このまったく新しいサイクロン式掃除機は、吸引力は一切落とさずにサイクロン特有の騒音だけを40％落とすことができ、溜まったゴミを捨てるときも特許出願中の便利構造によって、ゴミ捨ての所要時間を約半分に短縮しました。

材質も見直し、重量が従来の約半分とかなり使いやすく生まれ変わりました。


となります。言いたいことはわかりますよね。しかし、商談後、相手は新商品の特徴を覚えていてくれるでしょうか？

私は難しいと思います。

では、この説明に「扉」をつけるとどうなるでしょう。

今日はこのまったく新しいサイクロン式掃除機をご紹介します。

従来品にはなかった魅力が3つもあるんです！

魅力①【騒音40%カット】

吸引力は一切落とさず、サイクロン特有の騒音をなんと40%も抑えることに成功しました！

魅力②【ゴミ捨てもカンタン】

特許出願中の便利構造で、ゴミ捨てにかかる時間を約半分に短縮！

魅力③【驚きの軽さ】

材質を見直したことで、重量は従来品の約半分に！

これら3つの魅力で、より使いやすい掃除機に生まれ変わりました！

いかがでしょうか。使っている言葉は同じなのに、断然「扉」つきのほうがわかりやすいですよね？　繰り返しになりますが、ポイントは、

情報を発信するときは、あらかじめ整理した状態で投げかけること。

理解力、情報処理能力の優れた人は、扉のない平坦な事実の羅列で情報を取り入れたとしても、頭の中で無意識に「扉」をつけ、整理しながら情報を蓄えていきます。しかし、これには相当頭を使います。

「人の話を聞いていて疲れた」という経験は誰しもあると思いますが、その原因は情報を自分自身で整理しなければいけないことにあります。

これでは、話が相手の記憶に残りませんよね。

だから、こちら側で「扉」を使って情報を整理した状態で渡してあげるのです。

伝え方の鉄則「相手の頭を使わせない」に直結する、理にかなった手法です。

このテクニックは、日常会話はもちろん、職場での報告・連絡・相談、文章を書く際など、あらゆる場面で使えます。

常に「この話には、扉をいくつつけられるかな？」と考える習慣をつけましょう。このひと工夫によって伝えたいことを相手の頭に刻み込むことができるようになり、コミュニケーションにおいて有利な立場に立つことができるようになるのです。

なお、扉の数は多すぎてもいけません。多くても5つくらいに収まるようにしましょう。

相手に頭を使わせずにメリットをイメージさせる

人に何かを説明するとき、「わかりづらい」と言われた経験はありませんか？　指摘してくれるならまだいいのですが、何も言われずわかったフリをされ、結局何も伝わっていなかったことを後から知るということもあります。

こんなことが起こるのは、話の要点がうまく伝わっていないことにあります。話が平坦で、会話の中のどこが大事なポイントなのかがわかりづらいということです。

ここでは、それを回避するための法則をお伝えしましょう。

法則 6

話に「くくり」と「目線」をつける

テレビ番組は、「くくり」と「目線」という2つの要素で構成されています。

昔、ある情報番組を担当していたとき、VTR演出についてよく教えてくれていた先輩に、私の演出は「くくり」と「目線」が甘いと再三指摘されました。番組を作るうえで、それだけ大事だということです。

まずは、「くくり」から説明しましょう。

「くくり」とは、なんの話をするのか、つまり話題の大枠のことです。

たとえば、情報番組で、「春の新生活応援特集」として最新家電を紹介するとします。このときの「くくり」は、

春の最新家電を紹介する

になります。

これがないと、視聴者は番組を観る理由を見出せません。話すら聞いてもらえないということです。しかしこれだけでは、わかりやすい情報にはなりません。ただ商品を紹介するだけの「情報の羅列」になってしまいます。

そこでテレビ番組は観やすく、情報をわかりやすく伝えるために、「目線」をつけます。

では、先ほどの「くくり（春の最新家電を紹介する）」に「目線」をプラスしてみましょう。

春の最新家電紹介。
家電芸人オススメの家電を、便利度ランキングを使って見せる

となります。

線を引いた部分が「目線」です。これでよく観る番組の形になりました。

家電芸人の目線で、使いやすいものを紹介していくという構成にすることでわかりやすくなるだけでなく、情報に付加価値がつき、観る人のモチベーションが上がります。

つまり、「目線」とは、

話の要点をスムーズに受け取ってもらうための「見せ方」

だと考えてください。

テレビに限らず、情報に「くくり」と「目線」がないと、話がわかりづらくなるだけでなく、相手に「話を聞きたい」と思ってもらうこともできないのです。

逆に言えば、ちょっとした雑談から、企画、説明、プレゼンなどの構成に「くくり」と「目線」をつけるだけで、途端にわかりやすくなるということです。

では、日常のコミュニケーションに、どうやって「くくり」と「目線」を取り入れていけばいいのでしょうか？

ここでは、新商品の「高機能ドライヤー」の特徴をプレゼンするシーンを使って説明しましょう。この場合の「くくり」は、次のようになります。

高機能ドライヤーの使いやすさと、機能を伝える

ここまでは簡単です。ただ、ここから何も考えないと、終始淡々と商品の特徴を羅列するだけの、いわゆる「説明責め」になってしまいます。そんな話は誰も聞きたいと思いません。

そこで、この「くくり」に「目線」をつけてみましょう。あなたならどんな「目線」をつけますか？　私はこんな「目線」を考えました。

丸の内ＯＬ・Ａ子さんがこの商品を初めて使ったら……。
使った初日にＡ子さんが味わった感動を時系列でお見せします！

このドライヤーのメインユーザーである30代女性に響く機能と効果に絞って商品の特徴を紹介する内容です。

そして、「〇〇ドライヤー初体験！　Ａ子　衝撃と感動の1日　完全密着」というタイトルをつけ、次ページのように時刻をガイドにすることでわかりやすく構成します。

いかがでしょうか？

Ａ子は架空の人物ではありますが、想定ユーザーが使ったらという「目線」を入れて、その「感動・感情」を言葉にして見せていくだけで、「訴求ポイント」が伝わりやすくなりましたよね。

商品の魅力が立体的にわかるようになったうえ、説明に動きがあるので、話を聞いたり資料を読んだりしている相手も退屈しません。

ひたすら商品説明を繰り返すよりも、**「この商品で女性がどのように喜ぶのか」「お客様はこの商品に対してどのような印象を持つのか」「こうすれば消費者間で話題になる！」**といったイメージを容易に描かせることができます。

●「目線」づけの例

○○ドライヤー初体験!
A子 衝撃と感動の1日 完全密着!!

7:00
シャワーから上がって髪を乾かす

特徴 **1**

ハイパワーなのに静か!

音が
全然しない!
すごい!

8:00
通勤中、正面の座席に座る女性の髪を見る

特徴 **2**

ナノイー技術
髪一本一本のキューティクルを守る

あれ、今日の
髪のツヤ、
前の人と
全然違う!

9:00
朝礼後、同僚から声をかけられる

特徴 **3**

保湿しながら乾かす
まとまり感が断然アップ

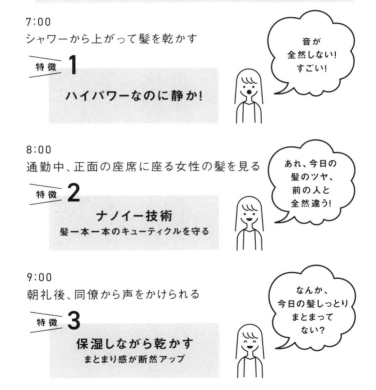

なんか、
今日の髪しっとり
まとまって
ない?

このように、「目線」づけを活用する際のポイントは、具体的なシーンを相手に考えさせるのではなく、こちらから提示してしまうことです。

相手を説得する、商品を買ってもらう、自分を採用してもらう……。

こういったシーンで力を発揮するのは、相手に効果効能を、「頭を使わせずに」イメージさせる伝え方です。

「この選択をしたら、私にはこんなメリットがある！」

これがイメージできた段階で、人は決断をします。

そして、メリットが強く見えれば見えるほど気持ちが高まり、最強の決断方法「即決」が起こります。

「目線」づけの方法は、「具体的シーンをイメージさせる」ことだけではありませんが、手っ取り早く効果を生む手法として、「メリットをイメージ」させてあげれば、説明が必要なシーンで大きな武器になります。

困ったときは、ランキング形式で「目線」づけ

前項で紹介した、「くくり」と「目線」は、私たちの生活の多くの場面で活用することができます。

なぜなら、私たちの身のまわりには「くくり」だけが決まっていて「目線」づけがされていない物事が多いからです。

たとえば、仕事の報告書。週に一度上司に提出する「週報」は、多くの場合今週訪問した取引先の名前や、取れた契約の件数などが書かれています。これは「今週あったことを書面で報告する」という「くくり」だけが決まった状態です。

こういう報告書、はっきり言ってつまらないですよね。これでは、書く側も読む側もモチベーションが上がりません。

また、「くくり」だけが決まっていて「目線」づけされていないことの代表格が「社員旅行」や「忘年会」などの行事です。特に社員旅行など、行きたくない人が多い行事の幹事を任された人は苦労することになります。

実は、これらは「目線」をつけるだけで印象がガラッと変わります。とはいえ、どうやって「目線」づけすればいいかわからないですよね。その際に便利な方法があります。

法則7

ランキング形式で「目線」をつける

ランキング形式にすると、平坦な情報の羅列を面白そうに表現することができます。

たとえば、週報ならこんなふうに「目線」づけしてみるとどうでしょう。

今週お客様から聞いたことベスト3

ランキングにすることによって、単調な報告に立体感が出るうえ、**一番言いたいことを1位にすることで伝えたいことを強調することができます。**

社員旅行なら、

グルメランキングトップ5に全部行く！
伊豆のグルメ旅

これなら、「社員旅行」にありがちな「やらされ感」を薄めることができます。

さらに、訪れる飲食店をその場に着くまで秘密にしておけば、より楽しんでもらえるはずです。

忘年会も、「忘年会」という名前を使わずに

今年1年を振り返る！「そのとき、部長が叫んだひと言」ベスト10発表会

などとして、節目節目で部長が言ったひと言をメンバーから募集し、ランキング化することで、最後まで楽しんでもらえます。

私自身も、このテクニックに助けてもらったことがあります。

以前、子どもの学校のＰＴＡの役員を引き受けたことがあります。そのときの担当は「広報」。主な仕事はＰＴＡが発行している広報誌の制作でした。誌面に入れる話題や要素は決められているものの、企画から取材、記事の作成まで全てを行わなければならない、かなり大変な作業です。

制作にあたってこれまでの記事を見返してみたのですが、これが恐ろしくつま

らない。とりとめのない話に写真をつけて掲載しているだけ、という感じです。

中でも、校長先生の話を紹介するコーナーはひときわつまらないものでした。

とはいえ、必ず入れなければなりません。

なんとかしようと思った私は、こんなふうに「目線」づけしてみました。

突撃！　校長室　校長先生へ10の質問

昼間、時間のある奥様役員に取材してもらい、上がってきた校長先生のコメントを要約しながら10項目に分け、それに対応する質問をこちらで考えてランキング化したところ、他校からもものすごい反響があったことを覚えています。

このように、ランキングには、人の興味を惹きつけるすごいパワーがあります。

さらに、社員旅行のような行事でも、報告書や記事のような文章でもそうですが、**「第1位を知りたい！」という本能が働くため、モチベーションを落とさず最後まで聞く耳を持ってもらうことができます。**

ランキングで紹介する手法は、テレビでもお馴染みですよね。

たとえば、関東ローカルの『出没！アド街ック天国』（テレビ東京）という長寿番組があります。主に東京都内や近郊の1つの「街」にスポットを当て、その魅力をランキング形式で紹介する内容です。

番組が進行し、順位が上がれば上がるほど、視聴者は「次はどこだろう？」と興味が増していくため、チャンネルを替えることなく最後まで観てしまうのです。

もし、この番組がランキング形式を採用していなかったら、ただ情報を平坦に伝えるだけになるため、途中でモチベーションが落ち、最後まで観ることはできないはずです。

なお、真面目な方のためにひと言申し添えておきますが、ランキングの定義はあなたの主観でかまいません。

数字で順列をつけられるものなら、そうすればいいのですが、計る指標がない場合は、あなたが面白いと思ったこと、印象的だったことで順位をつければいいのです。

「情報の漆塗り」

「それ、この前も聞いたよ」

「前にも言われたからわかってます」


こんなことを言われたことがある方、けっこう多いのではないでしょうか?

基本的に、人は他人の話を注意深く聞いていていません。ですから、相手にお願いしたいこと、やってほしいことがあるなら繰り返し伝える必要があります。

仕上げまでの間に何度も漆を塗り重ね、艶を出す漆塗りの器と同じように、同じことを繰り返し伝えることで、相手の脳にその情報を刷り込むことができます。

しかし、同じことを同じように何度も伝えると、こう思われてしまいます。

しつこい！

こうなってしまうと、相手は感情のシャッターを閉ざしてしまい、聞く耳を持たなくなります。

そんな最悪の事態を避けながら、「情報を漆塗り」する方法を紹介しましょう。

法則8 アプローチバリエーション

『カンブリア宮殿』や『ガイアの夜明け』（ともにテレビ東京）など、企業もののビジネス番組をご覧になったことがあると思います。こういったビジネス番組は、オフィスや工場、店舗などを訪問し、その会社の特徴や働き方、商品、サービスを紹介する映像と、社長や社員のインタビュー映像などで構成されています。

そして、その他にもう1つ大切な要素が存在します。それは、「顧客の声」や「取引先の声」を伝えるインタビューです。

「こんなときにとても助かった」「このサービスは生活に欠かせない」「ここの社員は顧客だけでなく、取引先も大事にしてくれる」など、さまざまな立場の人の声が番組の端々で紹介されていますよね。

多くの意見が流れてくるわけですが、それぞれのインタビューを紐解いてみると、行き着く先は全て「この企業ってすごい！」ということ。取引先、お客様、社員、社長、みんなそれぞれが別の立場で同じことを言っているのです。

しかし、シチュエーションや切り口がそれぞれ違うため、「さっきも聞いたよ」というしつこい感じがまったくしません。それどころか、観ている側は「そうかそうか、なるほど。こういう側面もあるのか！」と、情報としてどんどん取り入れていきます。

この演出によって、私たちは気づかぬうちに情報を漆塗りされているのです。

この手法を、「アプローチバリエーション」と呼びます。同じ情報を違う視点から繰り返し伝えるテクニックです。

この「アプローチバリエーション」は、日常生活でも活用できます。

たとえば、ブログやSNS、友人との会話の中で、知り合いの焼肉屋さんをおすすめしたい場合は、同じ視点から何度も紹介するのではなく、次のように視点を変え、さまざまな角度から紹介してみましょう。

①店主の魅力や想いからのアプローチ

「ここの店主は、高級焼き肉店で10年以上修行した肉のプロ。いい肉を手ごろな価格で食べてほしいと独立を決意した」など店主の想いを紹介。

②口コミサイトやブログのコメントからのアプローチ

「肉が口の中で溶けた」「接客が気持ちいい」などネット上の高評価の口コミを集め、それを引用しながら紹介。

③グルメ雑誌やネット記事からのアプローチ

「この店が肉を仕入れている牧場は赤坂の名店○○と同じ」「肉の切り方へのこだわりがものすごい」など、専門家からの客観的視点も紹介。

このように、違う視点からお店の良いところをＰＲしてみます。別々の登山道から、１つの山頂（目的）を目指すイメージです。

これら３つの登山道を使って、「この店はすごい！」という情報を漆塗りしていきます。三者とも違った立場からの意見なので、「しつこさ」は一切ありません。むしろ、多角的な意見として、「なるほど！」と取り入れてくれます。

このように、三者の立場から１つの事象を捉え褒めることで、そこに客観性が生まれます。

相手が物事を判断するうえで求めているのは、「客観的見解」です。

面接で自身をＰＲしたいなら、ゼミの先生や友人、バイト先の店長など、他者の評価も加える。営業担当者なら、自身の想いだけでなく、ユーザーの声も伝える。奥さんにカメラや車を買うことを許可してほしいお父さんなら、それを買ってよかったという友人、同僚の声を伝える……。

こうすることで、相手に不快感を与えることなく、知らず知らずのうちに伝えたいことを相手の脳に刷り込むことができるのです。

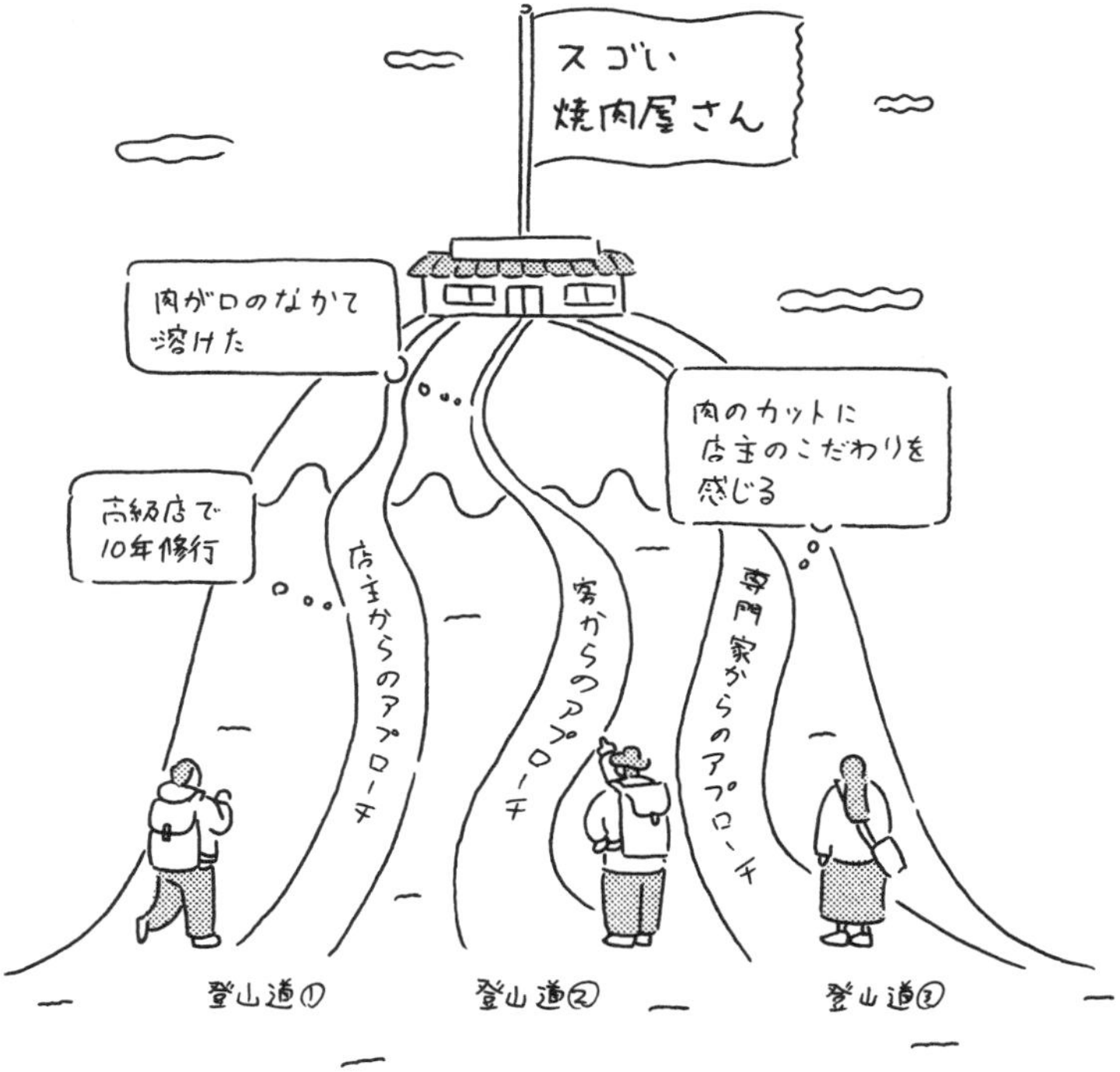
スゴい
焼肉屋さん
肉が口のなかで
溶けた
肉のカットに
店主のこだわりを
感じる
高級店で
10年修行
店主からのアプローチ
客からのアプローチ
専門家からのアプローチ
登山道①
登山道②
登山道③

「SNSや資料作成で活躍！相手に負担をかけない文字使い」

岐阜県各務原市
岐阜・各務原市

突然ですが、どちらが読みやすいですか？

断然、左側の「岐阜・各務原市」ですよね。

実はこの表記、テレビのテロップで使われているものです。テレビの情報テロップは、多くの場合3秒程度しか映し出されません。さらに、他のテロップや、ナレーション、コメントなどの音声も重なるなど情報が多いため、瞬時に認識してもらわなければなりません。

「ん？　読みづらいな」と思われた時点で、視聴者はそれが気になってしまい、情報が伝わりにくくなってしまいます。番組のテロップは、そこまで計算して入れられているのです。

先ほど、ユーチューブの動画は観ていて疲れるものが多いとお伝えしましたが、その原因の1つに、出演者の発言が一言一句全てテキスト化されていることが挙げられます。これは、電車内などで音声なしで視聴する人への配慮だと思いますが、**相手の文字を読むスピードや心理を無視したテキストは、観る人の頭を混乱させ疲れさせてしまうのです。**

コミュニケーションの手段は会話だけではありません。特にツイッターなどのSNSや、LINEのようなチャットサービスが日常のやりとりの中心になった現代では、テキストにちょっとした工夫をするだけで大きな差をつけることができます。**投稿をスルーされることが劇的に減るのです。**

春のお出かけスポット
ベスト10
岐阜県各務原市

岐阜もいいなあ
来月行ってみよう
春のお出かけスポット
ベスト10
岐阜・各務原市

これは、プレゼン資料や報告書の作成などビジネスシーンでも同じです。

当然ですが、テキストで情報を伝える際に重要なのは「読みやすさ」です。**特に気をつけるべきなのは、「ひらがなが続いているとき」と「漢字が続いているとき」です。**そんなときテレビ業界で使われているのが、

法則 9 ビジュアル的「区切り」をつける

という方法です。実は今、ちょうどこの法則を使いました。

ビジュアル的区切りをつける

ビジュアル的「区切り」をつける

何もない状態で読むと「的区切」という漢字3文字が連続し非常に読みづらい

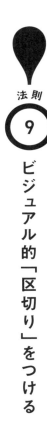

ですが、そこにただ「　」をつけるだけで、格段に読みやすくなります。

私たちは、テキストを1文字ずつ読んでいるわけではありません。「大統領」や「緊張感」など、1つの単語を1つの塊として読んでいます。ですから、同じ漢字3文字でも、1つの単語として認識している言葉は問題ないのですが、「的区切」のような見慣れない並びを見ると一瞬混乱してしまいます。

特にSNSのようなスクロールしながら読まれるメディアの場合、よくわからないテキストはどんどんスルーされてしまいます。

それを防ぐためのテクニックがビジュアル的「区切り」。テレビだけでなく、文字数に制約があるネットニュースの見出しなどにも使われています。

東証一時900円超下落

東証、一時900円超下落

※「ヤフーニュース」の見出し（2021年2月26日）

どちらの見出しが読みやすいか、一目瞭然ですよね。

このように「 」ではなく「、(読点)」もビジュアル的「区切り」として活用することができます。

その他、テレビ番組のテロップでは、色やフォント、大きさを変えてビジュアル的「区切り」をつけていますが、SNSやメールなど、それが叶わない場面は意外と多いものです。

ひらがなが続く場合は、適度に漢字に変換して、読みやすくするのもいいでしょう。他にも、こんなビジュアル的「区切り」をつけて見やすくしていくことができます。

・「!」を意識的につける

若手人気芸人抱腹絶倒ステージ開幕

若手人気芸人! 抱腹絶倒ステージ開幕

・区切りをつけたくないときは、下線を引く

ビジュアル的区切りがあなたのものに

ビジュアル的区切りがあなたのものに

・「・」やスペースを入れて漢字が続くのを回避する

岐阜県各務原市　中日監督開幕指名を「封印」

岐阜・各務原市　中日監督　開幕指名を「封印」

※「ヤフーニュース」の見出し（2021年2月26日）

テレビに限らず、各メディアはこうした工夫をすることで、発信した情報がスルーされるのを防ぐ努力をしています。

あなたもぜひ、テキストで伝える際は、相手にパキッとわかりやすくイメージしてもらうことを念頭にひと工夫してみてください。

第 4 章

ピンチをチャンスに変える「言い換え」と「ギャップ」の魔術

「世の中は「良いもの」であふれてるわけがない！」

就活イベントで、まわりの学生の出身校や意識の高い発言を聞いて「どう考えても、私じゃなくて他の学生を採用したくなるよな……」とくじける。

自社の新商品を売らなければならないとき、その商品のことを知れば知るほど、他社の類似商品のほうがどう見ても魅力的で「完全に負けてんじゃん……。どうやって売っていけばいいのだろう？」と途方に暮れる。

自分の旦那よりママ友の旦那さんのほうが間違いなく魅力的。収入もおそらくウチより多いのに、いつも早く帰ってきているし、休みの日も、よく子どもと出

かけている……、とつい比べてしまいヘコむ。

「隣の芝生は青く見える」ということわざがありますが、青く見える「気がする」わけではなく、隣の芝生のほうが確実に青いことがほとんど、という人もたくさんいるはずです。

それは当然で、私たちの身のまわりが「良いもの」であふれているわけはありませんし、持っている能力だって、ほとんどの人が「人並み」でしょう。

もちろん、世の中には強運の持ち主もいます。

それは「一番」と呼べるものや能力を持つ人です。

こんなにラクな話はありません。たとえば、業界1位のものを売るときには「売り上げ日本一の○○です！」とアピールするだけでバカ売れするんですから！

他にも、「成績が学年トップでした」「学生時代、部活で全国1位になりました」「当店のパティシエは世界大会で1位を獲得しました」など……。

しかし、そんな例はごくわずか。ひと握りの恵まれた人だけです。

私が長年携わっている番組制作の現場もまったく同じです。

私は30歳のころ、毎週、たくさんの新商品や注目のサービス、お出かけスポットを紹介する『王様のブランチ』（TBS）という情報番組のディレクターをやっていました。当時、駆け出しのディレクターだった私は、この番組でさまざまな演出ノウハウを勉強させてもらいました。そして、経験を重ねるごとに、困ったときの対処法も身につけていきました。

この番組に限らず、テレビ番組は「良いもの」「話題のもの」を取材し、魅力的に紹介します。

でも、考えてみてください。

この20年間、私は情報番組だけでなく、バラエティー番組でもたくさんの店を取材してきましたが、その全てが「業界一」の「非の打ち所がない」お店・商品だったのでしょうか？　本書の冒頭でもこの話をしましたよね。答えは明確。

そんなことありません。

皆無だったとは言いませんが、その数は極端に少なかったというのが印象です。

でも、思い出してみてください。番組の中で「この店はイマイチで……」「ちょっと微妙なんです、ここの商品は……」なんて言っていません。

番組で紹介されている店は「この世で最高の店」とは言っていないものの、「最高の店」のように映っていますよね？　しかも、嘘は一切ついていません。

情報番組、バラエティー番組などジャンルにかかわらず、テレビで紹介された商品やサービスはバカ売れし、お店に行列ができます。

たいして美味しくもない野菜が、「痩せる食材」と紹介された翌朝、スーパーに主婦が殺到し、全国の売り場から見事に売り切れる。昨日まで「普通の店」だった街の中華料理店が、「絶品！　〇〇チャーハンが味わえる店」と紹介されれば、翌日には大行列ができる……。

事実、テレビの取材がきっかけで大金持ちになった経営者もけっこういます。

その裏には、やはり「伝え方の法則」が存在しています。その手法が、

「言い換え」と「ギャップ」を駆使すること。

「ものは言いよう」とはよく言います。同じことを相手に伝えるにしても、言い方ひとつで良くも悪くも印象が変わります。つまり、言い方しだいで相手の印象を「良い方向」に操作していくことができるということです。

「印象操作」というと聞こえが悪いかもしれませんが、伝え方の勝ちパターンを身につけたくて、本書を読んでいるあなたなら、それを「悪事」と捉えず、「効果的手法」と考えてくれるはずです。これがまさに「言い方」。

本章では、「言い換え」と「ギャップ」によって、言葉の印象を劇的に変える技術についてお伝えしていきます。

「裏技」教えます

「言い換え」とは、物事を表現する角度、視点を変え、相手により強く伝わるよう工夫することです。

勝敗の分かれ目は、伝える側がそのパターンをどれだけ多く知っているかどうか。ここからは、誰でも簡単に使える裏技をお伝えしましょう。

法則10 「裏技」を使う

「裏技」。まんまを書いてしまいました。
裏技とは、ゲームで隠された入口からボーナスステージに進める、あるいはマリオが無限に増える……など、普通にプレイしていては気づかない、攻略本にしか載っていない「マル秘技」のことです。

ですが、テレビ番組で使われている「裏技」という言葉はちょっと違います！

【番組でよく見かける「裏技」の使用例】

卵の殻をキレイに剥く「裏技」

お肌を美しく保つ「裏技」

よく見るお馴染みの表現ですよね？　でも、「使い古されたベタな表現」などと侮らないでください。

普段あまり気にかけていないかもしれませんが、こうやって自信満々に「裏技」と銘打たれると、「なんかスゴいことなんじゃないか？」という期待感が出て、知らず知らずのうちに番組に引き込まれているのです。

「裏技＝みんな知らないけれど、それを使うとスゴいことになる」。この意識が、私たちの頭の中に刷り込まれているので、「これは観る価値がある」と脳が勝手に判断するのです。

しかし！　実際その内容は、単に、ちょっとだけ珍しい「卵の殻をキレイに剥く方法」「お肌を美しく保つ美容法」です。

要するに、

王道のやり方ではない。

ただ、それだけなんです。

いわゆる正攻法ではないやり方を「裏技」と表現する。そうすることで普通に紹介したら、「へぇ〜」で終わってしまう情報に箔をつけ、紹介する理由を作っているのです。

テレビ番組で紹介する情報には、価値がなければいけません。「なんとなく紹介する」ことはできないのです。

そのため、何を紹介するにも「取り上げる理由」が必要になります。「裏技です」と銘打つことで、「ただ、情報を垂れ流す」のではなく、「価値がある情報をお届けする」という形を作り上げているのです。

普段のコミュニケーションでも、相手に「この人の話には価値がないな」と思われた時点で話を聞いてもらえなくなります。

最近では、オンライン会議や打ち合わせも増えています。特に、大人数が参加している場合や、画面がオフになっている場合、参加者がこちらの話をちゃんと聞いている保証はありません。あなたにも心当たりがあるのではないでしょうか。

そんなとき、「裏技」という言葉の力を使えば、相手をグッと話に引き込むことができます。

たとえば、Ｚｏｏｍでの報告会議で自身の成果をアピールしたい場合、「今週、2件契約が取れました」などと言ってもスルーされる可能性が高いわけです。

でも、

「今週取った2件の契約には、ちょっとした裏技を使いました」

と言えば、参加者の注目を集めることができます。

大切なのは、契約を2件取ったという事実を報告することですから、「裏技」の内容はたいしたものでなくてかまいません。注目を集めさえすればいいのです。

他にも、プレゼンの内容に少し「引っかかり」をつけて、印象的に心に残したいと思ったら、**自社製品の少し珍しい機能を1つ取り上げ、「実は裏技があるんです」と紹介することで競合製品との違いを引き立たせる。**

ブログやSNSのネタに苦労しているのなら、「カップ麺が10倍美味しくなる裏技をご紹介！」といった見出しをつけて、王道ではないちょっとだけ変わったやり方、使い方を紹介してみる。

画期的な方法を提案する必要はありません。

「違う」ポイントは、少しでいいんです、王道でさえなければ！

要は相手の気になる「とっかかり」を作るだけ。コミュニケーションでは、演出力を使って「これは普通の情報ではない」と思わせた者勝ちなのです。

「嘘をつかずに、短所を長所に言い換えろ！」

就活中の学生さんにありがちな悩みとして「自己PRが思い浮かばない」というものがあります。

一応サークル活動はしていたけれど、部長でもないし、たいした実績も残せなかった。成績も中の中で、はっきり言って「目立たない存在」。強いて言えば誰にも嫌われていなかったので、たくさんの人と話をしたことくらい……。

こういう人、たくさんいますよね。しかし、この事実をそのままエントリーシートに書いたのでは、ライバルに差をつけることはできません。とはいえ、嘘をつくのはご法度。

そこで演出の出番です。一見短所に思える要素も視点を変えれば嘘をつくことなく「長所」として打ち出すことができるのです。そのテクニックがこちら！

法則11 「長短言い換え」の法則

読んで字のごとく、短所を長所に言い換えるということです。どんなふうに言い換えればいいのか。たとえば、こんなのはどうでしょうか？

縁の下の力持ち。

目立たず嫌われない存在とは、誰にも迷惑をかけていない存在と考えることができます。サークル運営には意見の対立や人間関係などさまざまな課題が存在します。そこに関わっていないということは、サークル運営を円滑に進めるために協力していたと考えることができるわけです。

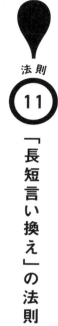

私の強みは、人間関係を円滑にすることです。大学時代、テニスサークルに所属していました。特にリーダーというわけではありませんでしたが、とにかくいろいろなメンバーと話すことを心がけていました。サークル内には意見の対立などもありましたが、私が話を聞くことによって芽を摘むことができたトラブルもありました。言わば「縁の下の力持ち」の役割に徹してきたと自負しております。

このように、一見短所に思えることも見方を変えれば「長所」として打ち出すことが可能になります。このテクニック、情報番組などでよく使われています。

たとえば、ある商店街の「小さな飲食店」を紹介することになりました。このお店が選ばれた理由は、ロケの際、ネタになりそうなお店が思いの外少なかったから。正直長所はなく、目立つのは短所ばかり……。

そんなとき、どう切り抜けるか。いくつか例を挙げてみましょう。

【例1】
その店は売り上げも低く、広いテナントを借りられない。
単純に「狭い店内」。
番組では……
「こぢんまりとして、アットホームなお店ですね！」と紹介。

【例2】
料理人を雇うことができず、年老いた奥さんが厨房に入っている。
単純に「資金力に乏しい小規模店」。
番組では……
「おふくろの味！」と紹介。

【例3】

広告など打てず、目立つ看板すら作ることができない。

単純に「目立たない店」。

番組では……

「隠れ家的ですね！」と紹介。

【例4】

お客さんが入らない。ゆえにシーンとしている。

単純に「流行っていない店」。

番組では……

「落ち着いた店内ですね」と紹介。

どれもよく聞くフレーズですよね。

テレビでは、このようなお決まりのフレーズ（確立された演出法）を駆使して嘘をつかずに、ポジティブな情報を発信するわけです。

これらの言いまわし、聞いていて悪い気がしないですよね？

ここがポイントです。

一緒にいて「いいな」と思う人、「この人なんだか嫌だな」と不快感を伴う人、世の中には両者とも存在しますが、その判断基準の1つは、「ネガティブな発言が多い人」と「ポジティブな発言が多い人」の違いではないでしょうか。

ここで言う、「ネガティブ」「ポジティブ」とは、他人や自分、物事を悪く言うか、良いところを探して前向きな発言をするかということです。

コミュニケーションには相手が存在します。当然相手には感情があり、ひとたび話に不快感を覚えると、感情のシャッターを閉ざしてしまい、その話を「つまらないもの」「聞く価値のないもの」と判断してしまいます。結果、相手の記憶に残らない話になってしまうのです。

相手を不快にさせない＝「悪く」言わない

これもコミュニケーションの鉄則です。相手が不快になることは致命的な事態につながります。**悪口を言うのはもってのほかですが、謙遜が行きすぎて「私なんて……」と自分を卑下することが多い人も注意が必要です。**

批判や批評も必要とされる報道番組を別として、テレビの情報番組やバラエティー番組はこの点に非常に気を使います。たとえば、取材先のお店が正直褒められるところがなかったとしても、必死で良いところを探します。

そのような思考をベースに行動することで、コミュニケーションが円滑に進むようになるのです。

これは伝え方の法則というより、人付き合い・コミュニケーションの極意と言うほうがうまく当てはまるかもしれません。

ぜひ、まわりに「陽」の空気を振りまく演出としても使ってみてください。

「長所に言い換えた短所を、より魅力的にする魔法のひと言」

前項では、短所を長所に言い換えるテクニックを紹介しました。ここでは、それをさらに魅力的に表現する方法をお伝えしましょう。

それは、

法則 12

「イチ押しポイント」

この言葉、情報番組などでよく聞くと思います。

新製品やお店、アミューズメントスポットなどを紹介するときの定番フレーズです。

このよく聞くフレーズ。実は、恐ろしい真意と、とてつもなく大きな力を持っているんです。

なぜ、恐ろしいのか……。それは、「どうしてこの言葉を使うのか？」という理由をお話しすればわかります。

その理由とは……、

その商品やお店に「良いところが1つしかない」から。

これが現実です。

お店の名誉のために言っておきますが、全てのディレクターがこのような意図で使っているわけではありません。

ただ、私はこのやり方で逃げ切ったことが多々あります。単純に視点を変えているだけですね。

「1つしかない」良いところを、「一番良いところ」と言い換える。

1つしかなければ、それは「一番」になるんです。マラソン大会の出場者が1人だったら、間違いなく優勝ですよね。

ポイントは、「嘘をついていない」ことです。「嘘つきにならずにすむ」以外にも、「人を傷つけない言いまわし」としても使えます。

たとえば、友人から「男友達を紹介してほしい」と頼まれたとき。今彼女がいない男友達は1人しかいません。でも、その男友達は、正直イケてない。顔も普通だし、お金もない。オシャレにも気を使わない。これまで一度しか女性と付き合ったことがない、単にモテない男……。

こんなときは、「1人の女性としか付き合ったことがない」という短所にフォーカスし、それを長所に置き換えたうえで、

イチ押しポイントは、とにかく一途で誠実なこと！

と表現してみます。

モテないから浮気もできないわけで、「誠実」という部分に関しても嘘をついていません。これなら男友達のことを魅力的に表現できますし、誰も傷つけることはありません。

「これ、イマイチだな」と判断したものは、短所を長所に言い換えたうえで、「イチ押しポイント」としてアピールする。

簡単に使えるうえ、お店の商品説明やプレゼン、自己ＰＲなど幅広いシーンで活用できますので、ぜひ試してみてください。

言い換えができないときは「当たり前」で切り抜ける

ここまで、「言い換え」のテクニックについてお伝えしてきました。ただ、そんなに都合よく全てが言い換えられるわけはありません。ここまで紹介した「裏技」や「長短言い換えの法則」「イチ押しポイント」などで切り抜けられない局面はたくさんあります。

でも、あきらめる必要はありません。ここでは、タレントが食レポをするときや情報番組のナレーションを作る際、ピンチを切り抜けるために使われているテクニックを紹介しましょう。名づけて、

法則13

「当たり前」の法則

自慢できるところがない場合は、焦らず「当たり前のこと」を探して、それを褒めればいいのです。

たとえば、グルメ番組で食レポを行う際、出された料理にあまり特徴がなかったとします。牛肉を使った煮込み料理なのですが、見た目も味も超普通……。

そんなとき、嘘をつかずに、どうやって魅力的にレポートすればいいのでしょうか。答えは……、

「当たり前のこと」に立ち返る。

牛肉を使ったメニューなら、当然牛肉の味がしますよね。そこを前面に打ち出すのです。たとえば、

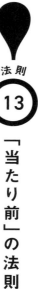

肉本来の味がしっかり味わえる「絶品牛肉料理」

なんだか美味しそうな料理に感じませんか？

でもよく考えれば当たり前ですよね、牛肉なんだから。

大豆が原料の大豆ミートを食べて、肉本来の味がしたら、それはすごいことです。だけど、材料が牛肉だから肉本来の味がするのは当然のことです。スーパーで買った特売の牛肉でも肉の味はします。

でもこの「当たり前」が意外と使えるんです。

これは、広告や雑誌の記事でもよく見かける表現です。

あえて当たり前のことに立ち返り、自信を持って打ち出す。

あとは、その当たり前のことを、「イチ押しポイント」にして、魅力をグーンと引き上げればいいだけです。

これを使えば、インスタの写真につける、気の利いた一文も簡単に作れるようになります。

また、競合に比べ機能の少ない家電製品をプレゼンしなければならないときは、

「基本性能」に立ち返りました。

デザイン性が高いわけでもなく、広さも普通の住宅をＰＲする際は、

「住み心地」を徹底的に追求しました。

よく考えてみれば、家電製品が基本性能を大切にしたり、住宅メーカーが動線や間取りなどを工夫したりして住み心地を追求するのは当然です。ライバル会社も同じような努力をしていることでしょう。

でも、こうやって自信満々に「当たり前」を強調することで、情報を魅力的に伝えることができるようになるのです。

ストーリーを構築し、別アングルから印象づける

長所が見当たらないものを人にすすめなければいけない。

正直、コレというセールスポイントがないのに、売らなければならない……。

そんな経験、誰にもあるでしょう。

悪気はないけれど、「売らなければいけない」プレッシャーから、嘘をついてしまったり……。あまりいい気分はしませんよね。

また、多くのお店で扱っている商品を、価格を下げることなく売りたいという人もいるでしょう。

伝えなければいけない「もの」、売らなければいけない「もの」。その「もの」がたいしたものでない場合、もしくはどこでも売られている場合、いくらもの自

体にフォーカスしても魅力的に伝えることはできません。

そんなときは、潔く「もの」への執着をやめるべきです。

では、どうすればいいのか？　答えは、

法則
14
別アングルで印象づける

これは、あらゆるものを魅力的に描かなければならない番組制作の現場で、しばしば用いられる手法です。

せっかくなので、番組制作のシチュエーションを使って説明しましょう。

情報番組のコーナー企画「春の新生活・ビジネスツール特集」の中で新作の名刺入れを紹介することになりました。

しかし、商品自体は、正直特徴のない普通の名刺入れ。強いて言うなら、本革を使い、壊れにくい特殊な縫い方をしているのに2000円台とリーズナブルな価格設定くらいです。といっても「激安！」とは言えない中途半端な価格設定。とりわけデザイン性が優れているわけではなく、他の名刺入れとの差別化が難しい……。

この商品を紹介しなければならないとき、あなたならどうしますか？

ちょっと、考えてみてください。

私がこの番組のディレクターなら、名刺入れのデザインや機能ではない、別アングルのストーリーを構築します。

たとえば、視点を商品から作り手に切り替えるのです。

この名刺入れの開発担当者の鈴木さんを主人公として、視聴者の感情を揺さぶるストーリーが描けないか、徹底的にヒアリングを行います。

例を1つ挙げてみましょう。

開発担当者である鈴木さんのお父様のお葬式の日、愛用していたものを持たせて送り出そうと、20年以上使っていた名刺入れを棺桶に入れてあげることになりました。

しかし、出棺の直前「親父が肌身離さず持っていたものだから手元に置いておきたい」と思い直し、棺桶から取り出して形見として持つことにしました。

その夜、机の上の名刺入れを見て鈴木さんはこう思いました。

「20年もの間、使い続けられるものってすごい。しかも、本人が使った後も形見として生き続けるなんて。私もこんなものを作りたい」

単なる商品ではなく、思い出として長く在り続けるものを作る。鈴木さんはそんな想いで縫製を見直し、丈夫で長く使える名刺入れを作り上げました。

価格も低く設定し、できるだけ多くの人に、自分のような体験をしてほしいと考えています。

こんな仕立てにすることで、現物について一切触れることなく、名刺入れの魅力をグッと上げることができます。

このストーリーを経ると、名刺入れ自体に言及することなく、他にはない「ひと味違った」名刺入れという印象を与えることができます。

ここで重要なのは、「徹底的なヒアリング」による、「事実に基づいた、作り話ではないストーリー」を組み立てることです。

この、視点を変えたストーリー作りは、プレゼンやネットショップの商品説明などに活用できます。活用する際のポイントは、次の2つです。

①開発者、発案者など「主人公」を立てる

ストーリーを作る際、必要なのは主人公の存在です。

ポイントは、主人公には個人を据えること。

たとえば、商品をPRする場合は、企業全体にフォーカスするのではなく、プロジェクトの中心人物を主人公にして話を組み立てることで、受け取る側の感情が動きやすくなります。

「そこで、A社は動いた」と表現するよりも、「A社・商品開発部の佐藤は動いた」など一社員の想いが会社全体を動かしたというストーリーを構築したほうが、身近に感じられるため、より印象に刻まれます。

②「想い」を中心にストーリーを組み立てる

当然ですが、ストーリーは相手の心に響かなければ意味がありません。こう聞くとハードルが高いように思えますが、誰でも簡単にできるポイントがあります。

それは、「想い」にフォーカスすることです。

ものを売る際、「想い」をしっかり伝えると顧客の感情を動かすことができます。それが購入につながるわけです。

これをうまく活用しているのが「クラウドファンディング」です。

まだ存在しないサービスや商品、プロジェクトなどに対して多くの人が資金を出すのは、「世の中をより良くしたい」「便利な商品を多くの人に届けたい」という想いに共感するからです。

クラウドファンディングのサイトには、たくさんのストーリーが掲載されていますので、参考にしてみてはいかがでしょうか。

ストーリー使った伝え方は一見難しそうに思えますが、やってみると思いの外簡単にできると思います。

テレビだけでなく、ネットにも参考になるストーリーがたくさんありますので、調べてみてください。

「相手の心を動かす最強の演出法、それは「ギャップ」」

「話にインパクトを持たせたいならギャップが大事」という言葉をよく聞きます。見た目は怖いのに、実は優しくてつい心を許してしまう。休日、ラフな格好で会った翌日に、スーツでビシッとキメてきて、クラっときてしまう。こんな状況を「ギャップ萌え」と呼んだりします。

テレビ番組でもギャップを使って視聴者の心を動かす演出が多く使われています。以前、弊社のディレクター何人かに、「一番効く演出ってなんだろう？」と聞いたときも、最も多かったのが、「やっぱりギャップじゃないですか？」という答えでした。

ここで1つ、テレビの現場で使われている表現を例に挙げてギャップの持つ力を紹介しましょう。

法則15 「甘い」

この「甘い」という言葉が持つ破壊力、ご存じでしょうか？

本来、甘くないものを「甘い」と表現することで、ギャップを生み、とても大きな付加価値をつけることができるのです。

かつて私は、『王様のブランチ』（ＴＢＳ）という情報番組で、リポーター同行で全国の旅館や話題の飲食店を数多く取材していました。

ここでポイントになるのが、「食レポ」の腕。担当するリポーターによって、表現力はピンキリです。

ディレクターも思いつかないような秀逸な表現で味を伝えるリポーターがいる一方で、まだこの仕事をはじめて間もない、あまり表現の引き出しを持っていないリポーターがいるのも事実です。

しかし、どのリポーターが取材したとしても、料理の味を魅力的に伝えなければなりません。
そんなとき、私が初心者のリポーターに言っていた言葉があります。それは、

表現に困ったら、「甘い」と言えばなんとかなる！

これは、かなり役立ちました。
たとえば、肉を食べたときは……、

噛めば噛むほど、ギュッギュッって「甘み」が出てきます！

刺身を食べて……、

食べた瞬間、口いっぱいに「甘み」が広がります！

生野菜を食べたときも……、

野菜なのに「甘み」があるってすごいですね！

あなたもこんな食レポを見たことがあるのではないでしょうか。でも冷静に考えてみてください。フルーツならともかく、肉ってそんなに甘みが出てくるものだったでしょうか？

甘い魚ってどうなんでしょう？

私は一度も生野菜を甘いと思ったことはありません。

きっとあなたも同じだと思います。

でも不思議なもので、「甘い」と表現するだけで、スーパーで安売りされている肉や刺身では、味わえない代物という印象を与えます。

甘いはずがないものに対して、「甘い」と言うと、途端に高級で美味しそうな印象を与えることができるのです。

これが「ギャップ」の効果です。

ちなみに、対象が「甘くないもの」であればあるほど、その効果は大きくなります。

飲食店の方はもちろん、一般の方も食べログの口コミやブログ、SNSなどの文章にぜひ活用してみてください。

読み手にインパクトを与えることができるはずです。

「甘い」以外に使える便利なギャップ表現

ここまで、「甘い」という言葉を例に挙げながら「ギャップ」の効果効能について解説してきました。ついでと言ってはなんですが、「甘い」と同じ効果を持つギャップワードをいくつか紹介しておきましょう。


【濃い】

食べ物の味は、素材の味と調味料の味とに分けられます。

この「濃い」という言葉は、「素材の味」に対して使うと表現を効かせることができます。

このサラダ、野菜自体の味がすっごく濃い。
こんなの初めて！

「素材の味が濃い」と言われると、なんだか良いもののように感じますよね？でも、そこの感覚は個人の見解なので、決まった尺度がありません。言った者勝ちです。

【すごく香る！】

香りも、スパイス等の香りと、素材そのものの香りが存在します。**スパイスを使った料理を表現する際に、あえてスパイスではなく、素材の香りにフォーカスすることで、ギャップ感を演出することができます。**

スパイスが効いているのに、鶏肉の甘い香りがすごく香る！

旅番組や、食レポ、ナレーションを注意深く聞いていると、意外と使えるギャップ表現が埋まっているものです。

また、

「Aの奥にあるB（例：苦味の奥にある甘味）」

「Aの次にBがやってくる（例：歯ごたえの後にしっとりとした食感がやってくる）」

など、冷静に考えるとよく意味がわからないのに、勢いで突破している表現も多々あります。業界では、これらを「やり逃げ」と呼んでいます。

ぜひ、いい表現を探して活用してみてください。

「短い「モノサシ」を提示して、相手にギャップを感じさせる」

遊びに行く場所を決める、モノを買う、会議で何かを決める……、こんなとき人は無意識にある作業をしながら「アリかナシ」か、「良いものか悪いものか」を決めています。

それは、

比較検討。

たとえば、家電製品を買う場合、違うメーカーの商品をさまざまな角度から比べてから買う人が多いはずです。

また、自分の子どもをお隣さんの子どもとつい比べてしまう、インスタグラムにアップされているキラキラした友人の生活と、自分の地味な日常を比べて落ち込んでしまうという人もいると思います。

このように、人は常に何かと比べながら思考しています。**その際必ず登場するのが「モノサシ」。つまり比較対象です。**

これがなければ比べようがありません。テレビに映るメガ盛りカレーも、横に置かれた普通盛りのカレーがなければサイズを実感することはできませんよね。

実は、この「モノサシ」をうまく活用

すれば、ギャップ効果によって言葉をより強くすることができます。

では、どのように活用するのか?

法則16 「モノサシ」の先手打ち

人は放っておくと自分の中で無意識に「モノサシ」を作り出します。そして、多くの場合、それは対象物に近しいものです。

家電製品の比較検討なら同じ価格帯で機能も似ているギャップの少ないものを思い浮かべるはずです。

しかしそこで、**相手に比較対象を考えさせず、先手を打ってこちらから「モノサシ」を提示することで、ギャップ効果を生み出すことができるようになります。**

その際のポイントは、

こちらから短い「モノサシ」を提供し、長さを顕著に感じさせること。

つまり、物事を判断する際の「スタンダード」を相手より先に打ち出して印象操作をしてしまうということです。

このテクニックの効果を実感した私の体験を紹介しましょう。

私が以前、中古マンションを購入したときの話です。

私は当初から「買うなら築浅中古」と決めていましたので、不動産業者には、築浅の中古物件のみを探してもらい、内見を繰り返していましたが、なかなか購入にはいたりませんでした。

ある日、案内されたのは2つの物件。2つとも至近距離にあって床面積・築年数ともほぼ同等、価格もまったく同じでした。

1軒目、内見に伺うと、まだ売主は居住中で、暗い表情をした男性が迎えてくれました。和室には奥様らしき方の仏壇。息子さんの部屋は臭いもあり、おそらく思春期だったのでしょう、壁に穴が空いていました。

私の印象は「まあ、こんなもんだよな」。営業担当者も「この場所、築年数でこの価格ならこれくらいかもしれませんね」と話していて、妙に納得していました。

そして、その次に向かった、同じ金額の物件……。

入った途端、目の色が変わりました。売主はすでに退去済みで広々。さらに、リビングに隣接する部屋の壁がぶち抜かれ、20畳超の広いフローリングのＬＤＫになっていたのです。

「ここに大きなソファーを置いて、大きなテレビを置いて……」イメージが一気に膨らみ、この物件に即決しました。

後日、営業担当者に「最初のマンション、売るつもりなかったでしょ？」と聞くと、「……。はい、あそこはなかなか売れないんです」と正直なひと言。

購入した物件、あのときは輝いて見えたのですが、今思えば普通の家です。広さに感動したリビングも、家具を置いたら普通のリビングになりました。

こんなもんだよな…
WOW!

この営業担当者は、私の設定した条件を加味したうえで、最も振り幅の大きい物件を探し出しました。そして自ら本命物件を売るための「モノサシ」をうまく設定し「ギャップ」を作り出すことで見事、即決で契約を勝ち取ったわけです。

短い「モノサシ」を先に提示し、相手のスタンダードを下げることで、実は普通の物事をより良く見せることができる。

特に、私の家探しのように、「同カテゴリー」かつ「できるだけ近い条件」の中で高低差をつけると効果絶大です。

幅広いシーンで活用できるテクニックですので、ぜひ試してみてください。

「ギャップ」を使い、一発で印象に残す

旦那に頼みごとをしたのに覚えていない。
部下が教えたことをすぐに忘れる。

こんなことでイライラした経験は誰しもあるでしょう。人は、一度伝えただけではすぐに忘れてしまいます。

とはいえ、何回もたたみかけてしつこく言ってしまっては、相手を疲れさせたり、不快にしたりしてしまうことになります。その結果、言いたいことが伝わりづらくなるのは、ここまで述べてきた通りです。

先ほど、情報を漆塗りするためのテクニックを紹介しましたが、ここでは

「ギャップ」を使って相手に一発で印象づける方法をお伝えします。

それがこちら。

法則 17

「逆接」を使って、言葉をより強くする

逆接とは、「しかし」や「ところが」「でも」といった接続詞のことです。

これをうまく活用すると、話にギャップによる起伏やアクセントができ、言いたいことがより強く相手に伝わるようになります。使い方は簡単で、

強く肯定したいワードの前に逆接を配置する

だけです。

この手法、番組制作の現場でもよく使われています。画面いっぱいの逆接ワードがドーンと手前から飛び込んでくるのを見たことはありませんか？

しかし!

この演出が使われている場合、そのVTRを作っているディレクターは、「しかし！」の後にくる言葉を強調したかったということがわかります。

例を挙げましょう。若手経営者の活躍を伝える文章です。まずは、逆説なし。

仕事に対する考えが甘いと言われる「ゆとり世代」の中で、自分に厳しく、仕事に励む若手経営者がいた。

では、この文章に逆説を加えてみましょう。

仕事に対する考えが甘いと言われる「ゆとり世代」。
しかし！
そんな中で自分に厳しく、仕事に励む若手経営者がいた！

使われている単語はほぼ同じですが、逆接を入れることで、若手経営者の存在が際立ちますよね？　イメージがより鮮烈に、整理されて頭に入ってきます。

ポイントは、強調したいことと正反対の言葉を逆説の前と後ろに配置すること。次のように、前後の言葉のギャップが大きければ大きいほど効果も大きくなります。

佐藤さんの仕事は本当に丁寧でいつも助かってるよ。
でも、
もう少しスピードを意識してくれるともっと助かるよ。
↓「あなたの仕事は遅い」ということを強調できる。

我が社の強みは伝統です。
しかし！
今回の新サービスは、その伝統を打ち破る革新的なものです。
↓「サービスの新しさ」をより強調できる。

前後に真逆の言葉を配置し、振れ幅・ギャップを大きくして、逆接で斬る。
一番伝えたいことから逆算することで、効果的な構造ができ上がります。

第 5 章

嘘をつかずに
魅力を2割増しする!
秘伝の
「ちょい足し」テク

「「ひと言」の重要性を侮るな！」

言葉を強くするために、「ひと言」にこだわる！

それが、本章のテーマです。

あなたは、「ひと言」の重要性、ご存じですか？

普段、私たちは気にも留めませんが「ひと言つけるだけで格段に伝わり方が強まる」、逆に「余計なひと言をつけたがために劇的に言葉が弱まってしまう」そんなひと言があるのです。

テレビ番組の制作現場では、この「ひと言」に心血を注いでいます。

なぜなら、ナレーションや画面上のテロップにひと言つけなかった、もしくは余計なひと言を入れてしまったがために、チャンネルを替えられてしまう危険があるからです。

こういった「ひと言」は、テレビの現場に限らず、私たちの日常生活でも大いに役立ちます。しかも、話し言葉や文章に「ちょい足し」するだけで、誰でもすぐに活用することができるので非常に便利です。

ここからは、ひと言添えるだけで、意味は変わらないのに受ける印象を劇的に変化させる「ちょい足し」テクを紹介していきましょう。

「途端に言葉がイキイキしはじめる究極の一文字」

最初にお伝えするのは、「ひと言」どころか、「一文字」加えるだけで、途端に言葉がイキイキとする「究極の字」です。それが……、

法則18 「今」で臨場感を演出する

驚くことに、この一文字を意識的に入れるだけで、伝わり方が様変わりしてしまうのです。これ、本書の冒頭で紹介しましたよね。もう一度復習しましょう。

明日は、上司から頼まれたプレゼン資料作成の締め切り日。しかし、あなたは他の仕事が忙しく、少ししか手をつけられていません。「やらなきゃ」と思って

いると、上司から一通のメールが。

内容はもちろん「あの資料、明日締め切りだけど大丈夫？」です。

そのとき、「進めておりますので、ご安心ください」と返信すると上司はどう思うでしょうか。どこまで進んでいるのかな？　本当に安心していいのかな？　などと不安になるのではないでしょうか。もしかしたら、確認の電話がかかってきて、時間を取られるかもしれません。そうならないためには、

今、進めています。ご安心ください。


と、「今」をつけて返信する。たったこれだけのことなのに、「やっている感」が出ますよね。上司もちゃんと取り組んでくれているんだと安心することでしょう。

もう1つ例を挙げましょう。人材派遣会社の広告コピーで、ビフォー・アフターを比較してみます。

【ビフォー】

弊社が取り組んでいるのは、企業を動かす人材の斡旋です。

これに「今」を入れてみます。すると……、

【アフター】

弊社が今取り組んでいるのは、企業の「今」を動かす人材の斡旋です。

より違いを顕著にするために、「今」を2カ所入れてみました。途端にイキイキとした印象になりましたよね？　活力ある企業という感じがします。「企業を動かす」「企業の今を動かす」。過去を動かせるわけがないので、どちらの表現でも、動かすのは「今の会社」に決まっています。

冷静に考えると、「今」という字が入っても、入らなくても、この会社の業務

内容はまったく変わりません。**それなのに、あえて「今」をプラスするだけで、臨場感や躍動感、活力を感じさせることができるのです。**

この便利な「今」という言葉。テレビ番組のナレーションでもよく使われています。入れるだけで、「話題になっている感」を簡単に出せるからです。

最新の情報を伝えなければならない、また情報が新しければ新しいほどバリューが高まるテレビ番組において、とても重宝する言葉なのです。

また、「今」という字は**「話題として取り上げる理由」**も作り出してくれます。

「今、○○なので、このネタを取り上げる必要がある」

このニュアンスを簡単に出すことができるので、プレゼンや営業、お願い事など、相手に強く訴求しなければならないときに重宝します。

ぜひ、「一文字」で伝わり方が変わる「今」の効果を試してみてください。

「肩書き」をプラスして権威を演出する

何事においても、肩書きは大切です。

「肩書き」と聞いてまずイメージするのは、おそらく「代表取締役」や「部長」など、仕事の役職を示す言葉でしょう。

もちろん、それらを言葉の中に交えることで伝わり方は変わってきます。

会社の方針変更があるらしいという話でも、「社長が言っている」、「部長が今朝聞いたらしい……」など、具体的な肩書きを織り交ぜて話したほうが、信憑性は高まります。

ただ、ここで言う「肩書き」とは、このような役職のことではありません。

法則 19

「肩書き」で箔をつける

物事を伝えるとき、それが、「すごいもの」であったり、「すごい人」がすすめていたり、「すごい会社」が作っていたり、と箔がついていれば、それを伝えるだけで何もしなくても相手に魅力を感じてもらうことができます。

テレビ番組でも例外なく、「箔」の力を借りて魅力を「増幅させて」伝えています。

使い方は簡単。伝えるものの直前に、

○○ナンバーワン

三大○○の1つ

フォロワー○万人

など、「強さ」を表す肩書きを置いて箔をつけるだけです。
これだけで、聞く側は興味をそそられます。
いくつか例を挙げてみましょう。

上半期売上ナンバーワン！
人気コスメプロデューサーが明かす超簡単スキンケア

日本三大夜景の１つ
◯◯展望台で今大人気！　行列ができるアイスキャンデー

フォロワー20万人！
人気グルメブロガーが当サイトと緊急コラボ！

ラインを引いた部分が「肩書き」ですね。

たとえば、3つめの例文から「肩書き」を取ってしまうと、

人気グルメブロガーが当サイトと緊急コラボ！

となります。

これでは、あまりバリューを感じませんよね？　頭に肩書きをつけるかどうかで、相手の反応は変わってきます。

もしつけられる「肩書き」があるのなら、遠慮することなく、頭につけるようにしましょう。

ここまで読んで、「そんなに都合よく肩書きをつけることなんてできない」と感じた方も多いことでしょう。

そうなんです。世の中、強い肩書きがつけられるような優れた物事であふれているわけではありません。普通の物事のほうが圧倒的に多いですよね。

実は、そんなときでも使える便利な「肩書き」があります。

それが……、

法則20 「注目度ナンバーワン」で逃げ切る

これです！

ちょっと考えてみてください。

「注目度」は、単位で表せる「モノサシ」がありません。なんとなく「すごいものなんじゃないか」と思わせるあいまいな表現です。にもかかわらず、「肩書き」の役割をしっかりと果たしてくれるのです。

この表現は、広告でよく目にしますが、広告業界の人はこのロジックをよく理解しており、意図的に使っているわけです。

あえてあいまいに表現することで、「なんとなく」強そうに感じさせて逃げ切る。このような「逃げ切り表現」は、「注目度ナンバーワン」以外にも存在します。

いくつか例を挙げましょう。


【イメージで切り抜ける逃げ切り表現】

①緊急

使用例：**「緊急告知！」「緊急招集」**

効果：告知なんていうものはそもそも、緊急性が高いものばかりです。

しかし、あえて「緊急」とつけることで、言葉が強くなります。

メールのタイトルやＳＮＳの投稿などで使うと、相手の意識をこちらに向けることができます。

②超絶

使用例：**「超絶○○体験」「超絶うまい！」**

効果：これは、サービスや料理など「体験」を伴う「コト」を表現するのに便利な表現です。よくある体験も「超絶」とつけるだけで期待感を高められます。企業のＰＲやＳＮＳの投稿で力を発揮します。

③徹底

使用例：**「徹底討論！」「徹底比較」「徹底消臭」**

効果：これは番組でもよく使う表現ですが、どこからが甘くて、どこからが徹底なのか、「モノサシ」は存在しません。しかし、この言葉がつくだけで、「持てる限りの力を使った」という価値を演出できます。企画や商品のコピーなどに使うと対象のイメージを強めることができます。

④最強

使用例：**「最強の弁護士軍団」「最強の鶏ムネ肉料理」「最強の掃除術」**

効果：「最強」は、最上級の表現なのに、裏取りせずに使えるとても便利な言葉です。「最強〇〇！」というのが慣用句的に使われているために成立する逃げ切り表現です。一見「強弱」とは関係ないものにつけても意味が通じる便利な言葉です。自身の肩書きや自社商品、ブログで紹介するノウハウなど幅広い用途に使えます。

これらの「逃げ切り表現」は、ちょい足しするだけで、言葉を強くすることができるうえ、誰でもすぐに使うことができますので、ぜひ表現の引き出しに入れておいてください。

「「限定感」を演出し、相手を前のめりにさせる」

相手が、前のめりになって自分の話を聞いてくれる。

特に商談やプレゼンなど、仕事上のコミュニケーションでは、相手を前のめりにさせられるかどうかで結果が大きく変わります。

実は、それを叶えてくれるマジカルワードがあります。

法則 21

「1つだけ」で「限定感」を演出する

あなたの人生を変える方法が1つだけあります。

この商品、すごい人気なのですが、当店には1つだけ在庫があります。

こう言われると、つい話を聞いてみたくなりますよね。

「○○だけ」と、限定を表す言葉を聞くと、人は途端に興味を持ちはじめます。数量限定のスイーツを求めて、若い女性がお店の前に長い行列を作るのと同じ心理が働くのです。

この「1つだけ」という言葉、どう活用すればいいのでしょうか？

最も効果が期待できるのが、第1章で紹介した、「振り」と「受け」に組み合わせる方法です。「振り」と「受け」とは、一番伝えたいことである「受け」を、「そして！」「それは！」などの「振りワード」の直後に配置するテクニックでした。これと「1つだけ」という言葉をどう組み合わせるのか？　たとえば、

テレビの演出は、70年間アップデートされ続けていますが、1つだけ、変わっていないものがあります。
それは！「オンライン」で情報を伝え続けてきたことです。

こうすることで、「受け」に向かう「振り」を強調することができるのです。

実はこの文章、私が自社で制作している企画ＰＲ動画のプレゼンをするときに使っている営業トークです。

こうプレゼンすると、相手の姿勢が驚くほど前のめりになるのです。本書の執筆中にも数社のプレゼンで試しましたが、レスポンス率は１００％でした。

「1つだけ」の部分で、声を少し大きくし、気持ちゆっくりめで伝えると、より効果が上がります。

ちなみに、このテクニックは、「受け」が３つまでなら使うことが可能です。

たとえば、「受け」が２つある場合は、

「2つだけ」

と言えばいいのです。３つくらいまでは、使っても問題ないでしょう。

ただし、「２つだけ」「３つだけ」と振った場合は、「受け」が２つ、３つになりますから、それぞれの受けの頭に「1つめは〜」、「2つめは〜」と、「扉」をつけたほうがいいでしょう。これが「振りワード」の代わりになります。

たとえば、こんな感じです。

御社の問題を解決する方法が2つだけあります。
1つめは、IT化による生産性の向上。
2つめは、社員の主体性を育てることです。

「受け」と「振り」、「扉」など、これまでお伝えしてきたテクニックの合わせ技ですね。こうすることで話に緩急がつき、印象に残るプレゼンを行うことができるようになります。

実際のプレゼンの現場でレスポンス率100%を叩き出した「1つだけ」の法則、ぜひ使ってみてください。

「「価値ある話題だ！」と感じさせるための「ちょい足し」」

ブログの記事、あるいは殺伐としたZoom会議で発言するときには、相手の心を**「この記事はしっかりと読みたい！」「これは聞く価値がある話だ！」**という状態にセットしてから本題に入りたいものです。

家族や友人にちょっとハードルの高いお願いをするときも同じです。

本題に入る前に、話に興味を持ってもらえるよう「場を温める」と言ってもいいでしょう。とはいえ、難しい技術は必要ありません。

ある要素をちょい足しするだけで、相手の興味を惹くことができるのです。

では、何をちょい足しすればいいのでしょうか？

法則 22

「背景」をちょい足しする

ここで言う「背景」とは、「今、こんな状況で、こんな大変な問題がある」ということをわかりやすく明示することです。その場にいる人が置かれた現状を説明することで、伝えたいことをより際立たせる役割を担います。

「背景」の重要性を実感していただくために、「背景あり」の例文と「背景なし」の例文をご用意しました。比較してみましょう。

【背景なし】

必見！　家計のムダがひと目でわかるアプリが人気！

【背景あり】

必見！　外出自粛による収入減で、家計がシビアになる中、

家計のムダがひと目でわかるアプリが人気！

後者のほうが、より深く印象に残りませんか？

メインのコピーは同じですが、1行目に「背景」を加えただけで、格段に興味を引く文章になっています。

この手法、テレビ番組でもよく使われています。

たとえば、番組で保湿クリームを紹介するときに、

お肌の乾燥が気になるこの季節……。

とひと言置いて（枯れ葉が風で飛んでいく映像などがナレーションベースの画になっていたりしますよね）、

潤いを与えてくれるオススメの保湿クリームがあるんです！

と続く。よく見る構造です。

「今は肌が乾燥する季節である」という背景を足すことで、保湿クリームの必要性をより印象的に伝えているわけです。

このテクニックは、見慣れすぎていて「当たり前」な感じがしてしまいますが、番組制作の現場では意識的に行われています。しっかりした理論に基づき、情報をより伝わりやすくするために確立された手法なのです。

また、情報に「背景」をプラスすることは、もう1つ大きな効果があります。

それは、

今、取り上げる理由ができる

ことです。

友人との何げない会話にしても、これがあるのとないのとでは、話の鮮度（相手に与える印象）が大きく変わります。背景を足すことで、「取り上げる理由」が

1つ加わり、「話を聞く必要性」が出て、相手の聞く姿勢が変わってくるわけです。

背景になりうるものとしては、腰痛、運動不足などの万人に共通する悩み、社会問題、バレンタインデーやクリスマスなどのイベントなどが挙げられます。

また、人にお願いするときは、自分の置かれた状況を「背景」として使ってもいいでしょう。

たとえば、子どもが親にゲーム機の「ニンテンドースイッチ」を買ってほしいとお願いする際、「みんな持ってるから買ってよ！」とアピールしても「ウチはウチだから！」と、取り合ってもらえないでしょう。

しかし、

今日みんなと遊んだとき、全員スイッチの通信機能で遊んでいて、僕だけ一人ぼっちだった……。

スイッチがないと友達と遊ぶこともできない。

と自分が置かれた状況を「背景」として伝えれば、少なくとも聞く耳は持ってもらえます。

「背景」のちょい足しは、当たり前感が強く、「何を今さら」と思った人も多いと思います。

しかし、「伝えたい」という思いが強すぎて、無意識に要件だけを伝えるストレートな表現をしてしまい、結果的に話を聞いてもらえなかった、というケースは意外に多いものです。

「背景のちょい足し」はちょっとどころではない、大きな効果を生む使えるツールなのです。

【パキッとイメージ！「数値データ」の力を借りる！】

前項では情報に「背景」をつけることの重要性についてお伝えしました。

ここでは、「背景」を活用するためのもう1つの方法を紹介します。

「背景」とは、背後にある景色と書きます。

つまり、背景を描く際は、相手にその景色を見せてあげるのが一番の近道です。

とはいえ、相手をその場に連れて行くことはできません。相手をその場に連れて行けないとすると、残された手段は……、

・その景色を、動画で見せる
・相手の頭の中に映像をイメージさせる

このどちらかになります。

何かを説明する際に動画を見せるのは有効な手段ですが、そのたびに動画を作るのは手間がかかりますし、業者に依頼するなら当然お金もかかります。

お金や時間をかけられないのであれば後者を選ぶしかありません。

小説を読んでいるとき、私たちは物語の中の景色を頭に思い浮かべます。なぜそれが可能なのでしょうか？

それは、「具体的な描写」がたくさん入っているからです。

小説には、風景や人物、漂っている空気などが手に取るようにイメージできるよう具体的に描かれています。これによって、読者の頭の中に空想世界ができ上がります。その中で読者は感動の涙を流したり、怒ったりと、作家の思うように感情をコントロールされているわけです。

ただ、一般人である私たちはそんな高度な技を使うことができません。

そこで、私たちが使うべきなのが、次の法則です。

法則

23

「具体的数値データ」で背景をイメージさせる

小説家のように文章でイメージさせるのは難しいですが、具体的な数字を使えば、スキルがなくても相手に背景をイメージさせることができます。

たとえば、熱中症対策の商品を売り出すときは、「熱中症が多い」という背景を描く必要があります。そこに数字を入れるか入れないかで、伝わり方は次のように大きく変わります。

【数字なし】

温暖化や緑地減少による夏場の気温上昇によって、熱中症患者は年々増加しています。

【数字あり】

熱中症で病院に搬送される人は、年間約6万人にのぼります。

どちらも、同じように熱中症が多いことを伝える「背景説明ブロック」です。

今は昔よりも気温が高く、熱中症が増えていることは周知の事実で、日本人の意識の根底にある「当たり前」の内容です。しかし、当たり前のことでも、いや、むしろ当たり前のことだからこそデータを出して改めて認識させることで、相手の頭の中に背景（問題意識）の輪郭がくっきりと描き出されるのです。

私自身も数字に助けられたことがあります。

15年ほど前、私はフジテレビのある情報番組のドキュメンタリーコーナーを担当していたのですが、ある回の出演交渉を前に私は呆然としていました。

タイトルは、

「結婚できてない女」

今では考えられないタイトルですが、当時は、こんなタイトルのコーナーが、キー局のゴールデン帯でもオンエアされていました。時代を感じます。

取材対象は文字通り未婚の女性。「結婚願望はあるが、婚活などを行っていない30代で、プライベートも充実している人」という条件もついていました。この条件に当てはまる3人から密着取材の出演許諾を得なければなりませんでした。

でも、こんなタイトルの番組に出たいなんて誰も思わないですよね。

どう口説けばいいのか……。それがわからず私は呆然としていたわけです。

結果からお伝えすると、その交渉は一発ＯＫをいただくことができました。

その際、私を救ってくれたのが数字だったのです。

その数字とは、ある調査機関が発表した「30代の未婚女性数の推移」という棒グラフで表された右肩上がりのデータでした。

今でこそ、30代の独身女性は珍しくありませんが、当時はニュースや週刊誌で、「30代の独身女性の割合が過去最高に達した！」と騒がれていました。しかし、多くの人はその伸び率を目で見たわけではなく、なんとなく認識している、という状態でした。

交渉の序盤、私はテーブルの上にその資料を置き、グラフを指差しながら話しはじめました。口頭での懇願で出演交渉がはじまると思っていた相手は、「こんなのがあるんですね」と、ちょっと意外そうな反応です。

その後も私はこのデータを元に、独身女性が増えることで起こる問題の大きさを細かく伝えました。すると、最初硬い表情だった相手が、徐々に前のめりになり、こちらの話に惹きつけられていくのがわかりました。

自身が番組に出演することで、世間にこの問題の重要性を投げかけたい、同じ境遇の女性たちの想いを代弁したい、そんな使命感のようなものが生まれたのだと思います。

おかげで、無事放送まで漕ぎ着けることができました。

放送後、お礼に伺ったとき、出演いただいた方の1人がこんなことをおっしゃってくださいました。

「最初、取材のお話を聞いたときは、正直お断りしようと思っていたんです。でも、実際にお会いして、あのグラフを出して説明されたとき、問題の大きさを実感すると同時に『この人は本気だ』と感じました。だから協力しようと決めたんです」

交渉の現場で具体的な数字を提示し、問題の大きさを実感してもらうことで、より相手の心に訴えることができ、その結果NOをYESに変えることに成功したのです。

数字の力を使って、相手の頭の中を整理し、理解しやすくしてからこちらの想いをしっかりと伝える。

これぞ、「相手をコントロール」するための演出であると言えるでしょう。

視覚イメージを「ちょい足し」

以前私の会社で、ある不動産企業の新卒採用向けＶＴＲを制作したことがあります。この企業は、「自社の新卒採用は狭き門。生半可な気持ちを持った学生はこないほうがいい！」という方針を打ち出し、志の高い学生たちの採用に成功しています。

その方針を社長のコメントやナレーションを使ってＶＴＲにしました。そのコメントやナレーションを際立たせるためにある図を入れることにしました。

それはピラミッド型の図で、「当社に入社できる新卒は、ピラミッドの頂のほんのひと握りである」ということを、より印象づけるための狙いがあります。

これ、テレビでもよく見る図ですよね？

LiLiCoのコ コ イ ケ
世界的経済誌Forbesが注目する社長
不動産業界を目指すエリート

LiLiCoのコ コ イ ケ
世界的経済誌Forbesが注目する社長
トップ0.15%

相手の視覚を利用し、直感的に訴えることができるので、現在でもよく使われる手段として君臨しています。

このように、資料などに図をちょい足しすることは、情報をより印象的に伝えるために有効な手段です。

と、ここまではよくある話ですが、実は資料作成の際に図を活用することには大きな落とし穴があるのです。

よく、パワポのプレゼン資料や報告書に、散布図やレーダーチャートなど複雑な図を使用する人がいます。できるだけ詳細にわかりやすく伝えたいという配慮なのでしょう。**しかし、あまり凝った図を入れると、逆に伝わりづらくなってしまうという現実をご存じでしょうか。**

先ほどのピラミッドの図を見て、「よくあるやつじゃん」とがっかりした人も多いと思います。しかし、そこにポイントがあるのです。

法則 24

図解表現は「よくあるやつ」を使う

このピラミッドの図、番組だけでなく広告や資料にもよく出てくる「見慣れた」図ですよね？　一瞬、「こんなの使ったら、ありきたりだと思われる」と、使うのを躊躇するくらいありふれた図です。しかし！

この「見慣れた」というのが大きなポイント。人は見慣れたもの、聞き慣れたものについては、頭を使わず、直感的に内容を認識することができるのです。

ですから、資料に図を使う際は、先ほどのピラミッドや棒グラフ、折れ線グラフ、円グラフなど、よく見る「ベタな表現」を積極的に使うべきなのです。

「ベタな表現」は、わかりやすく有効だから多用されている！

ベタを使い倒す、それが、伝わる表現への最短距離なのです！

「うっかり使ってしまいがちな、超もったいない表現」

ここまで、ちょい足しすることで、表現を強くする言葉を紹介してきましたが、ここでは、つけてしまうと途端に表現が弱くなってしまう言葉を1つ紹介します。

この言葉を外すことで、簡単に印象的な表現を作り出すことができます。その言葉を紹介する前に、番組制作の現場でよくあるやりとりをご覧ください。

ディレクター：「ねえ太田（AD）、この前撮影した観覧車、本当に日本で一番大きいか裏取りして！　大至急！」

AD：「承知しました。わかりしだいご連絡します」

5時間後……。

ディレクター：「太田、観覧車の裏取りどうなった？」

AD：「すみません、まだ確認中です。実はもう1つ微妙な大きさの観覧車がありまして。資料にある高さと問い合わせた高さが違うんです。もう少しお時間ください」

ディレクター：「プレビュー（番組のトップに編集上がりを見せる試写）には間に合わないな。とりあえずプレビューは『級』をつけて乗り切ろう。でもオンエアでは『級』を取りたいから、なんとか裏取りして！」

AD：「了解しました！」

つけてしまうと途端に表現を弱めてしまう言葉、わかりましたか？

そう、「級」という漢字なんです。

法則25 不必要な「級」は取る

広告や説明資料などで、こんな表現方法をよく見かけませんか？

「世界最大級」
「国内最大級」
「関東最大級」

最後に「級」がついている……。先ほどのやりとりからもわかるように、テレビのディレクターは「級」を嫌います。このような細かいこだわりの積み重ねが、番組の仕上がりや印象に大きな影響を与えるのです。あなた自身も、ブログや

ＳＮＳ、商談、プレゼンなどで、「国内最大級の」「世界最大級の」という表現を使ったことがあるのではないでしょうか。

これは非常にもったいない。物事を伝えるうえで、大損している可能性があります。

「国内最大」と「国内最大級」の違い。それは、

唯一無二の存在か、他にも似たようなものがあるかの違い

です。こう聞くと、印象がまったく変わることに気づくと思います。

私には、中学生の息子と、小学生の娘がいるのですが、特に息子は温泉が大好きで、よく一緒に健康ランドに足を運びます。中でも彼の一番のお気に入りである横浜市内の施設は頻繁に利用しています。

この施設、いろいろな種類のお風呂があって、レストラン施設も充実、本当に大きな健康ランドなのですが、そこの看板には自信満々デカデカと、**「関東最大**

級」と書いてあるのです。

毎回、その健康ランドに着き駐車場の大看板を見るたび、「しっかり調べて『級』を取ればいいのに」「この大きさなら、絶対関東最大だろうに、もったいない……」と残念な気分になります。

浴槽の数・床面積など、何か1つでも「関東ナンバーワン」と言い切れる要素があれば、そこにフォーカスして「関東最大」と言えばいいのです。

全てが「一番」である必要はないのです。

ポイントは、面倒くさがらずに調査、裏取りをすること。要素を細分化したうえでしっかり調べれば、「一番」が見つかる可能性は意外に高いのです。

とにかく「最大」というポイントを1つ見つけ出し、そこを徹底的に打ち出していくことが大事です。

「級」を味方につける方法

ここまで、悪者扱いしてきた「級」ですが、**うまく味方につければ、恩恵を受けられる言葉でもあります。**

チラシやネット広告などで、「大きさ」を表現したい場合、「日本一」の大きさであることが確実であれば、「国内最大」と打ち出せるわけですが、裏取りをしたところ、もっと大きいものがあって、自分のところの商品が国内で2番目だったとします。

そんなときはあきらめることなく「級」の字をつけてしまえばいいのです。

「最大クラス」の集団に入ってさえいれば、

一番でなくてもいいんです。

実際、「裏取りの作業が面倒……」と考える広告主が、「級」をつけてごまかすケースがよくあります。

先ほど例に挙げた健康ランドのように、「級」をつけた広告表現を見たことがある人も多いはずです。

恐ろしいことに、

「級」をつければ、最大でなくても最大表現ができてしまう。

こういうことになっているのです！

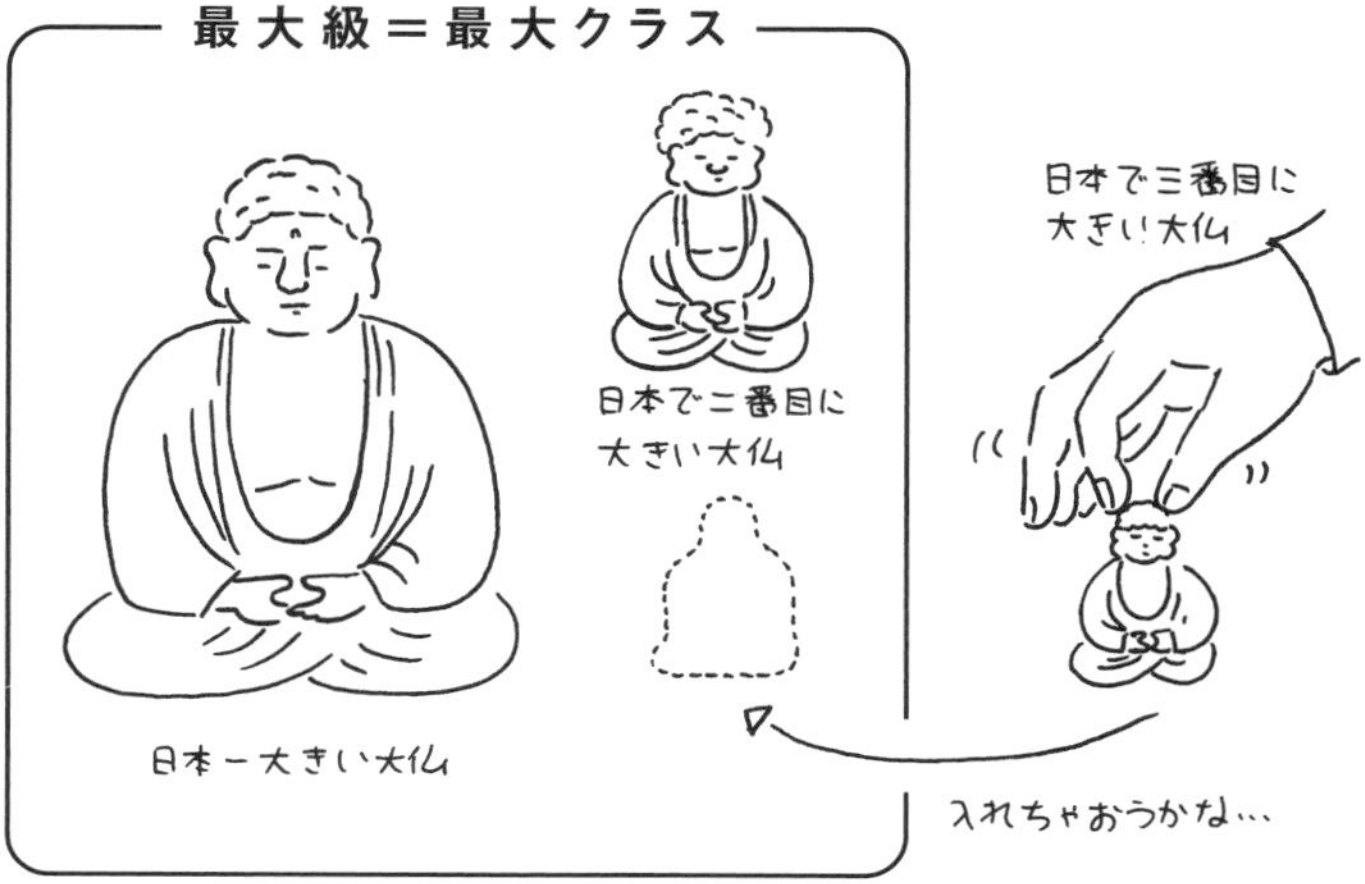

法則
26
「級」の字を足し引きして表現を強める

「級」の効果を整理しておきましょう。

最大のものは「甘い表現」に格下げ。
最大ではないものは「最大表現」に格上げ。

大きさや長さ、短さ、軽さ、重さ、多さ、少なさなど、単位をPRしたい場面はたくさんあります。ぜひ、この法則を覚えておいてください。

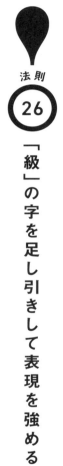

「あなたも無意識に使っている！言葉を弱める恐ろしいひと言」

伝わり方を弱めてしまうひと言。先ほどの「級」以外にもあります。しかも、私たちは知らず知らずのうちにこれらの言葉を多用しています。

気づかないうちに大損している、といっても過言ではないのです。

それは一体なんなのか。その前に、私たち日本人のある特性を説明します。

日本人は古くから、あいまいな語尾とおじぎで、独特のコミュニケーションを作り上げてきました。その背後には、人を傷つけないようにする配慮や謙遜を重んじる文化があります。

そのせいもあって、日本人は、はっきりものを言う「言い切り口調」が苦手です。これが、言葉を弱くする大きな要因の1つなのです。

逆に言えば、「言い切り口調」を意識するだけで、まわりの人と差別化できるとも考えられます。つまり、

使う言葉に「ダイレクト感」を持たせること

です。

「ダイレクト感って何？」と思った人もいらっしゃることでしょう。

簡単に言えば、**余計な言葉をつけず、よりシンプルに伝えることです。**

あなたは、普段の会話や文章を書く際にこんな表現を使っていませんか？

○○という話
○○などを経て
○○とかがいいと思う

〇〇の後にくる線を引いた部分、実は余計な言葉であることが多いのです。過去にご自身で書いた資料やメール、ＳＮＳの投稿を見てみてください。おそらく、無意識に使っているはずです。

これらは、言葉をぼんやりさせ、表現を弱くしてしまう不必要ワード！

もちろん、これらの言葉が必要な場合も多々あります。しかし、思い切って取ってみると、内容にまったく影響を与えない場合のほうが多いのです。

例を挙げてみます。

①本書が伝えるのは、

オンライン会議の伝わり方が弱まるという点を解決する演出法。

②本書が伝えるのは、

オンライン会議の伝わり方が弱まる点を解決する演出法。

いかがでしょうか？

「という」が入っているか、入っていないかだけの違いですが、①の文章はなんだかまどろっこしいですよね。

当該部分だけ抜き出すと、より顕著に違いを感じることができるはずです。

①伝わり方が弱まるという点を解決

②伝わり方が弱まる点を解決

①よりも②のほうが、何が解決されるのかがダイレクトに伝わってきます。

私たちは、普段の話し言葉でも、「という」「っていう」をはじめとする不必要ワードを多用しています。普段の会話を録音する機会はなかなかありませんが、未編集のインタビュー映像を見ると、驚くほど多く使われているのです。

ディレクターは、このような余計な言葉を編集でつまんで（カットして）ダイレクト感を強めていきます。これは、ナレーションを書くときにも大切にされているテクニックです。

法則27 余計なひと言を徹底排除する

番組のナレーションは、限られた尺の中で、最大限の伝達効果を挙げなければなりません。そのため、多くのディレクターが、一語でも余分な言葉を排除して「ダイレクト感」を出そうと試行錯誤しています。

以前、『しゃべくり007』（日本テレビ）のディレクターをしていたとき、こんなやりとりがありました。

その日、私はタレントのSHELLYさんがブレイクしたてのころの「恥ずかしいVTR」を発掘し、本人に見せる企画のナレーションを書いていました。

そのとき、私が書いたナレーションは次の通りです。

その時、ＳＨＥＬＬＹの取った行動が、視聴者の誤解をまねくという事態に……。その一部始終、ご覧ください。

プレビュー（チェック）の際、先輩ディレクターからこんな指摘を受けました。「余計な言葉が入っているからフワッとしてしまう」。そして、こんなふうに直してくれました。

その時、ＳＨＥＬＬＹの取った行動が、視聴者の誤解をまねく！　その一部始終、ご覧ください。

尺は短くなり、伝わり方に「ダイレクト感」が増し、言っていることがより強くなった印象を受けます。

わかりやすく2つを並べてみましょう。余計な言葉に線を引いてみます。

【ビフォー】

その時、SHELLYの取った行動が、視聴者の誤解をまねくという事態に……。その一部始終、ご覧ください。

【アフター】

その時、SHELLYの取った行動が、視聴者の誤解をまねく！　その一部始終、ご覧ください。

先述の通り、限られた尺の中で、最短距離で内容を伝えられるのが良いVTRです。

普段のコミュニケーションでもまったく同じことが言えます。

短く、インパクトのある文章で「いいね」を獲得したい、印象に残る履歴書を書きたい、限られた打ち合わせ時間内にクロージングをかけなければいけない……。そのためには、余計なひと言を極限まで排除して「ダイレクト感」を演出する必要があります。

これが、「相手に頭を使わせない」ことにつながるのです。

テレビ番組のナレーションは、常にこの考えで書かれています。「ダイレクト感」のある表現のお手本にもなりますので、注意深く聞いてみてください。

おわりに

最後まで読んでいただき、ありがとうございました。

私が、本書で紹介したノウハウには価値があると気づいたのは、自身で会社を立ち上げ、現役のテレビ番組スタッフだけで、企業のＰＲ動画を制作する新事業をスタートさせたときでした。

生まれて初めて「営業」をすることになった私は、世の中にあまたある動画制作会社と差別化するために「テレビ番組制作のテクニックを使って動画を作成する」ことを武器にしようと決めました。

そこで、「そのテクニックの何が具体的にすごいのか」を徹底的に分析、体系化しながら、営業トークを作っていきました。

その試行錯誤の中で、本書で紹介したノウハウに辿り着いたわけです。

その後、プレゼンを重ねながら、少しずつ仕事をいただけるようになったころ、あることに気づきました。

それは、「テレビの勝ちパターン」は動画制作だけでなく、プレゼンや商談、相手を説得する場面、ＳＮＳ、ブログ、報告書等で文章を書くときなど、日常のあらゆる場面で役に立つ、万能の手法だということです。

本書に書いたことは、テレビ番組のディレクターなら、誰もが「普通に」使っているテクニックをまとめたものです。冒頭でもお伝えしましたが、「確立された演出法」として、当たり前のように先輩から後輩へと受け継がれてきたものです。

ただ、この本は、その「普通」が大きなポイント。

「普通」だから才能もセンスも必要とせず、誰でも簡単に活用できる、これが大事なのです。

私の師匠であり、ドキュメンタリー界の巨匠である東正紀さんという方がいます。彼に師事していたとき、よく言われた言葉があります。

それは、

「テレビは才能じゃねえ、計算だ！」

情報や感情をわかりやすい番組にして伝えるためには、多くの人に受け入れられる「確立された演出法」があり、それを計算しながら組み立て、番組の骨組みを作る。そして、ロケを行い、編集をしながら肉づけする……。

この一連のプロセスに、才能は必要ないということです。

先人たちが考え出した「伝え方の勝ちパターン」を身につけて、うまく使いこなすことができれば、誰もが伝え方を制することができるのです。

本編でもお伝えしましたが、「知っている」と「やっている」とでは、意味がまったく違います。ぜひ、本書で紹介した「伝え方の法則」を、知識で終わらせることなく、ご自身の日常生活で活用してみてください。

きっと、日々のコミュニケーションに、素晴らしい変化が現れるはずです。

本書が、あなたの人生を、ほんの少しでも良い方向へと導くことができたなら、こんなに嬉しいことはありません。

著者

【著者紹介】

本橋　亜土（もとはし・あど）

◉――1978年生まれ。番組制作会社スピンホイスト代表取締役。

◉――大学卒業後、バラエティー番組専門の制作会社を経て、ドキュメンタリーを制作するフォーティーズに入社。同社代表で、日本ドキュメンタリー界の巨匠である東正紀氏に師事する。その後、複数の制作会社でディレクターとして『王様のブランチ』（ＴＢＳ）、『行列のできる法律相談所』『嵐にしやがれ』『しゃべくり007』（全て日本テレビ）など、人気情報・バラエティー番組を制作する。

◉――その後、プロデューサーを経て2017年に独立し、株式会社スピンホイストを設立。『ニンゲン観察バラエティモニタリング』『バース・デイ』（ともにＴＢＳ）、『それって!? 実際どうなの課』（中京テレビ）などのレギュラー番組を制作。一方、本書の元となった、テレビ業界の「伝え方の勝ちパターン」を体系化し、そのノウハウを使った企業ＰＲ動画の制作業務をスタート。「テレビの手法を生かした訴求力の高い動画が作れる」と評判を呼び、住友林業、マルコメ、新日本製薬、日本郵便をはじめ、数多くの企業から依頼が舞い込んでいる。

ありふれた言葉《ことば》が武器《ぶき》になる　伝《つた》え方《かた》の法則《ほうそく》

2021年４月19日　第１刷発行

著　者――本橋　亜土

発行者――齊藤　龍男

発行所――株式会社かんき出版

東京都千代田区麹町4-1-4 西脇ビル　〒102-0083

電話　営業部：03(3262)8011㈹　編集部：03(3262)8012㈹

FAX　03(3234)4421　振替　00100-2-62304

https://www.kanki-pub.co.jp/

印刷所――ベクトル印刷株式会社

　ISBN978-4-7612-7543-3 C0030